新版

イチバン親切な
手ぬいの教科書

高橋恵美子

Contents

手ぬいの用語 …………………………… 6

Lesson 1
ぬい始める前に知っておきたい
道具や布、型紙のこと

手ぬいってこんなにすてき！ ………… 8

基本の道具
ぬうのに必要な道具 ……………… 10
型紙に必要な道具 ………………… 11
布に必要な道具 …………………… 12
必要に応じて用意したい道具 ……… 13

手ぬいに向く布 …………………………… 14
布の方向と見方 …………………………… 16
針と糸の選び方 …………………………… 18
布の準備 …………………………………… 20
型紙の選び方 ……………………………… 22
型紙の読み方 ……………………………… 24
型紙の直し方 ……………………………… 26
型紙を用意する …………………………… 28
型紙の配置と裁断 ………………………… 32

Lesson 2
作品に合わせて選ぶ
手ぬいの基本を学ぼう

針と糸の準備 ……………………………… 38

基本のぬい方
ぬい始めとぬい終わり …………… 40
並ぬい ……………………………… 42
返しぐしぬい ……………………… 43
半返しぬい ………………………… 44
本返しぬい ………………………… 45
まつりぬい（ななめまつり）……… 46
たてまつり ………………………… 47
コの字まつり ……………………… 48
三つ折り仕上げ …………………… 49
袋ぬい ……………………………… 50
折り伏せぬい ……………………… 51
割り伏せぬい ……………………… 52

Lesson 3

作品の仕上がりを決める
ボタンやバイアステープを使ってみよう

開閉部の付属品について

ボタンの種類 …………………………… 54
二つ穴・四つ穴ボタンのつけ方 ……… 55
足つきボタンのつけ方 ………………… 56
くるみボタンの作り方① ……………… 57
くるみボタンの作り方② ……………… 58
マグネットホック（金属製）・つけ方 …… 59
マグネットホック（プラスチック製）・つけ方
………………………………………… 60
スナップ（金属製／プラスチック製）
・つけ方 ………………………………… 61
カギホック・つけ方 …………………… 62
ファスナー
　ファスナーが見えるつけ方 ………… 63
　ファスナーが見えないつけ方 ……… 64

仕上げの付属品について

バイアステープの種類 ………………… 66
バイアステープの作り方 ……………… 66
バイアステープの使い方
①縁を折り返す ………………………… 69
②縁をくるむ …………………………… 70
ゴムテープの種類 ……………………… 71
ソフトゴムの使い方
①三つ折り仕上げのシャーリング …… 72
②中間部のシャーリング ……………… 73
ひもの通し方 …………………………… 74

Lesson 4

手ぬいのよさを満喫!
小物や洋服を作ってみよう

作品／作り方

キャラメルポーチ……………………76／84

リゾートバッグ………………………77／88

子ども用パンツ………………………78／92

1枚裁ちの おとな用フレアスカート

……………………………………79／96

1枚裁ちの おとな用トップス………80／98

1枚裁ちの おとな用トップスのバリエーション

……………………………………81／101

きものリフォーム ジャケット………82／106

きものリフォーム ティッシュケース

……………………………………83／112

きものリフォームの前に

　各部の名称………………………………102

　きものの生かし方………………………103

　ほどき方…………………………………104

　ほどいた寸法の目安……………………105

きもの地のお手入れ…………………………116

Contents

巻末コラム
マスク、エコバッグ

	作品／作り方
立体マスク	118／120
プリーツマスク	118／122
エコバッグ	119／124

Index …………………………………… 126

Staff
撮影／村尾香織
ブックデザイン／井寄友香
スタイリング／梶本美代子
作品製作／アトリエAmy（安藤明美、栗原弘子、水野法子、
　　　　　関 かおり、高山聡美、野口麗加）
イラスト／シダ イチコ
校正／鷗来堂
企画・編集／新星出版社
編集協力／スリーシーズン

道具・材料協力

布
エミコ・コレクション
立川市上砂町1-3-6-19
☎042-537-6073

布・用具
清原株式会社
大阪市中央区南久宝寺町4-5-2
☎06-6252-4735

用具
クロバー株式会社
大阪市東成区中道3-15-5
☎06-6978-2277（お客様係）

手ぬい糸
株式会社フジックス
京都市北区平野宮本町5
☎075-463-8112

バイアステープ、裾上げテープ
キャプテン株式会社
大阪市阿倍野区阪南町1-7-15
☎06-6622-0241

撮影協力
ao daikanyama
☎03-3461-8258

プリスティン本店
☎03-3226-7110

imac
☎03-6281-8772

タビオ
☎03-6419-7676

手ぬいの用語

手ぬいをするときによく使う用語について、簡単にまとめました。
わからない言葉があったときの参考にどうぞ。

合印
2枚以上の布や型紙を合わせるとき、ずれないようにつけておく印。

あき止まり
ファスナーやスリットなどが開く部分の終わりの位置のこと。

当て布
布地に直接アイロンを当てないように、アイロンと布地の間にはさむ布。

いせ込み
細かくぐしぬいし、ギャザーが寄らないように糸を引いてぬい縮めること。

後ろ中心
前・後ろがある作品の、背中側の中心となる部分。

裏布
表・裏がある作品の、内側に使われる方の布。

表布
表・裏がある作品の、外側(メイン)に使われる方の布。

折り伏せぬい
ぬいしろの仕上げのぬい方。丈夫にぬえるので、股下などをぬうときに。

返しぐしぬい
2、3針並ぬいしたらひと針戻るぬい方。並ぬいよりも丈夫にぬえる。手ぬいの基本となるぬい方。

返し針
ぬい目の補強としてひと針分、針を戻して重ねぬいする(針を返す)こと。

際
端から0.2cmほどのところ。

ぐしぬい
布をぬい縮めるときなどに行う、針目の大きい並ぬいのこと。

コの字まつり
ぬい目が表にも裏にも出ないぬい方。2枚の布の折り山を突き合わせて、その間を糸が「コ」の字に渡るようにぬう。

しつけ
本ぬいをする前に、仮止めとして粗くぬい合わせておくこと。しつけをするときは大きめの針目の並ぬいで、返し針をしないでぬう。

地直し
布地を裁つ(印をつける)前に、布目のゆがみをとったり、洗濯での縮みを防いだりするために行う。本書では、リネンの水通しがこれに当たる。

外表
2枚の布を、両方とも布の表が外側になるように合わせること。

裁ち切り
ぬいしろをつけずに、寸法どおりに布を裁つこと。バイアス布を作るときなどがこの方法。

裁ち端
布を切った端の部分。

たて地
布地のたて糸の方向。布が伸びにくい。

たてまつり
ぬい目が目立たないぬい方。裏にほんの少し、たてのぬい目ができる。

突き合わせ印
合印の一種。2枚に分かれている型紙を、同じ印同士で突き合わせて使う。
＊紙のサイズ内におさまる場合は、型紙を写すときに1枚の型紙に写し直してもいい。

爪アイロン
通常アイロンで行う折り目をつけたり、ぬいしろを割ったりする工程を親指の爪で行うこと。布が伸びず、ふんわりと仕上がる。

でき上がり線
作品の仕上がりとなる線。基本的に布地を本ぬいするときは、この位置をぬう。

共布
作品を作った布と同じ布地のこと。「共布でバイアステープを作る」というように表す。

中表
2枚の布を、両方とも布の表が内側になるように合わせること。

並ぬい
手ぬいの基本となるぬい方。2枚の布を、表と裏のぬい目が同じになるように等間隔でぬう。

並ぬいステッチ
手ぬいステッチ糸を使って、布の表から行う並ぬいのこと。ランニングステッチ。

ぬいしろ
でき上がり線とぬいしろ線(裁ち線)の間の部分のこと。布をぬい合わせるときに必要な布幅。

布目(地の目)
布地のたて糸、よこ糸の織り目のこと。たてかよこの布目に合わせることを「布目を通す」という。

布目線
たて地の方向を指す矢印。裁ち方図や型紙にかかれており、印つけの際は型紙の布目線をたて地に合わせる。

バイアス(地)
布の織り目に対してななめの方向。布がよく伸びる。

半返しぬい
ひと針ぬったら半分針を戻す、をくり返してぬい進めるぬい方。しっかりぬうところに使う。

袋ぬい
ぬいしろの仕上げの基本になるぬい方。布端が隠れてほつれる心配がないが、厚地には不向き。

本返しぬい
ひと針ずつ針を返しながら、針の間をあけずにぬい進めるぬい方。半返しぬいよりも丈夫にぬえる。ミシンのようなぬい目になるので、ほつれた箇所のお直しにも。

本ぬい
仕上げるためにぬうこと。

前中心
前・後ろがある作品の、前側の中心となる部分。

股上
股の分かれ目よりも上の部分。

股下
股の分かれ目よりも下の部分。

まつりぬい(ななめまつり)
ぬい目が目立たないぬい方。裏にななめのぬい目ができる。

身頃
袖や衿を除いた、体をおおう部分のこと。前側を前身頃、背中側を後ろ身頃という。

水通し
リネンなどの地直しの方法。

三つ折り仕上げ
袖や裾などのぬいしろの仕上げの方法。ぬいしろを三つ折りし、際で並ぬいすること。

耳
たて地と並行する布の両端のこと。

よこ地
布地のよこ糸の方向。たて地に比べると、伸びやすい。

リバーシブル
裏つきの仕立ての方法のひとつ。表・裏どちらでも使えるよう、工夫されている。

わ
布を二つ折りしたときの折り目の部分のこと。型紙に「わ」とある場合は、布の折り目(わ)に合わせて配置する。

脇線
体の側面に当たるところのぬい目。

割り伏せぬい
スリットやスラッシュあきなどのぬいしろの仕上げの仕方。ぬいしろを割る部分に使う。厚地やほつれやすい布地に向く。

割る(ぬいしろを割る)
ぬい合わせたぬいしろを左右に開くこと。

Lesson 1

ぬい始める前に知っておきたい
道具や布、型紙のこと

手ぬいに必要な道具や適した布の選び方、型紙の写し方まで。
針と糸を持つまでの準備のことを紹介します。

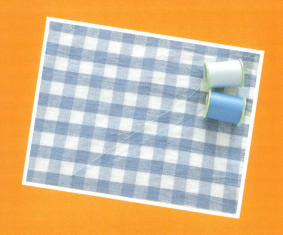

針と糸を持って、チクチクぬう「手ぬい」。
ひと針ひと針自分の手で作り上げていく
喜びを、いちばん感じられるのは手ぬいな
らではです。
ぬい目の大きさや間隔など、自分のリズ
ムや感覚によって、作品に個性が生まれ
ます。ミシンでじょうずにできないところ
も、手ぬいで作ると「手加減」しながらゆっ
くりとていねいにぬうことができるんです。
ぬっていて気持ちのいい布を手に、布と
の時間を楽しみながらゆっくりと手ぬいを
しましょう。

手ぬいってこんなにすてき！

Lesson 1 ● 道具や布、型紙のこと

道具は何が必要?

手ぬいは少しの道具だけでできます。いちばん大切なのは、針と糸。それから布。針は布通りがよい、和針の「四ノ三」。糸は手ぬい専用の糸を。手ぬいをするときにからみにくいように、右よりの甘よりになっています。布は手でぬいやすい針通りのいい布、触っているとやさしい気持ちになる布がおすすめです。

丈夫にぬえる?

手ぬいで丈夫にぬうコツは、2、3針ぬって、ひと針返す「返しぐしぬい」と、ぬい始めとぬい終わりにふた針返し針をすること。これだけで、しっかり丈夫にぬうことができます。
2、3針ぬったらひと息ついて、きれいにぬえているかしら? とぬい目を見届けてから、ひと針返す。そうすると、丈夫なだけでなく仕上がりもきれいになります。

基本の道具

そろえるものはそれほど多くないので、お気に入りの道具を選びましょう。

ぬうのに必要な道具

手ぬい糸

手ぬい糸

手ぬい糸

ステッチ糸

手ぬい糸

布通りがよくて丈夫な、ポリエステル製の手ぬい専用の糸。色数も豊富にあるので、作りたい作品に合わせて選びましょう。
ステッチを効かせたいときは、手ぬい専用のふっくらとしたステッチ糸を使います。

手ぬい針

針は布の厚さや用途に応じて使い分けますが、手ぬいには絹針「四ノ三」がおすすめ。薄地～普通地までぬうことができます。
針の長さはぬってみて、自分の手に合うものを選びましょう。

刺しゅう針

手ぬいステッチ糸を使うときに使います。3番のフランス刺しゅう針が合います。

まち針

頭がアイロンの熱に強いガラス製で、針が細く布通りのよいシルクまち針が使いやすくておすすめ。

ピンクッション

手ぬい針やまち針を刺しておく「針山」。ぬい始める前に、これから使う糸を通した針を何本か用意しておくと、リズムをくずさずにぬうことができます。

型紙に必要な道具

ハトロン紙

実物大型紙を写すときなどに使います。写すときはザラザラした方にかきます。ロールタイプのものだと、折り目がなく線がゆがまずに引けます。

メジャー

自分のサイズやカーブの長さ、布を測るときに。2mの長さがあれば、たいていのものは測れます。

方眼定規

型紙の線を写すときやぬいしろをつけるとき、寸法を測るときに。手芸用の方眼定規には、よこにも細かい目盛りが入っていたり、正バイアスを測れるななめの線が入っていたりします。30cmと50cmが1本ずつあると便利です。

Lesson 1 ● 道具や布、型紙のこと

家庭にあるもので

紙切りばさみ

写した型紙を切るときに使います。刃先が細い、よく切れるものを。布用の裁ちばさみで紙を切らないように！

消せるマーカーや色えんぴつ

実物大型紙に、写す線の目印をつけるときに使います。消せるマーカーは、線を間違えてしまったときに簡単に消すことができます。

えんぴつ、消しゴム

ハトロン紙に型紙の線を写すときに。芯の先が丸くなりすぎると正確に線が写せなくなるので、削りながら使いましょう。

布に必要な道具

チャコペン

印つけに必ず必要なもの。えんぴつタイプのチャコペンは毛並みのある布や色が濃い布などに。マーカータイプのチャコペンには、水やチャコ専用の消しペンで消せるタイプと時間がたつと自然に消えるタイプがあります。

裁ちばさみ、小型ばさみ

裁ちばさみは布を切る専用のはさみ。布以外のものは絶対に切らないように！ 刃が傷んで切れ味が悪くなってしまいます。サイズは24cmくらいのものが使いやすくておすすめ。小型ばさみは、細かい作業をするときに。

アイロン、アイロン台

アイロンを使うときは、必ずアイロン台の上で作業します。家庭用のスチームアイロンのほか、ミニアイロンもあると便利です。

霧吹き

布のしわをとるときや布目を整えるときなど、アイロンがけの前に布に霧をかけるのに使います。細かい霧が出るものを選んで。

必要に応じて用意したい道具

ステッチ糸用

手ぬい糸用

糸通し

針に糸を通すときに。糸端を気にせず簡単に通せます。使いやすいものを選びましょう。

デスクスレダー

糸通しの一種。針と糸をセットしたら、ワンタッチで糸を通すことができる優れもの。

ひも通し、ゴム通し

ひもやゴムを袋口やウエスト、袖口などに通すための道具。ゴム通しはゴムテープの端をはさんで、ひも通しは輪にひもを通して使います。

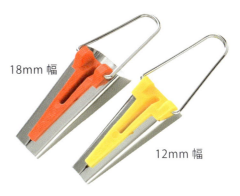

18mm 幅

12mm 幅

テープメーカー

バイアス布を間に通すだけで、バイアステープが作れます。それぞれ作れるバイアステープの幅が異なるので、購入する前にきちんと確認しましょう。
＊本書では12mm幅を使用。

ウエイト

型紙や布が動かないようにするための重し。型紙を写すときや、布を裁断するときに使います。

Lesson 1 ● 道具や布、型紙のこと

手ぬいに向く布

布には厚さや素材、織り方、染め方のちがいなどにより、さまざまな種類があります。

手ぬいに適しているのは、ぬっていて気持ちがよい布。肌触りがよく、ぬいやすく、針通りのよい布のことです。
素材は、天然素材の上質なものを選びたいもの。縮みやすい性質の布もあるので、洋服に仕立てるときは、水通し（p.20参照）をするようにしましょう。

● 素材による特徴

素材	特徴
コットン（木綿）	吸水性、保湿性に優れている。繊維が強く、家庭で気軽に洗濯できる。
リネン（麻）	独特のしゃり感がある人気の素材。繊維は丈夫だが縮みやすく、しわもできやすい。
シルク（絹）	しなやかで光沢のある素材。ミシンでは扱いづらいが手ぬいなら◎。水洗いは避けて。

普通地（通年）

リネン
風通しがよく、独特のハリとしゃり感が人気の素材。色数も豊富にある。春〜夏向きの素材。繊維が丈夫で、毛羽立ちが起きない。

ハーフリネン
リネンとほかの繊維（おもにコットン）を混紡した布。麻の風合いがあり、丈夫でやわらかく縮みも少ない。色柄も豊富。

リネンプリント
リネンの布に柄をプリントしたもの。リネンのよさを残しつつ、柄も楽しめる。さまざまな色柄がある。

ギンガムチェック
ギンガムは、染め糸と晒糸（白い糸）で織られる布地のこと。同じ太さのたて糸とよこ糸を同じ本数で織り、柄を作っている。

オックスフォード（オックス）
やわらかくて、しなやかさに富み、シャツなどに用いられる布地。しわになりにくく光沢がある斜子織（平織の一種）で、ふっくらとしている。

スラブクロス
スラブ（紡錘状のやわらかな節のこと）のある紡績糸で織られた布。紡ぎ加工が施されているため、丈夫でしわになりにくい。

薄地（春・夏）

ローン
上質な細い糸を使って織られている、薄くて軽く、やわらかい布。ややハリがある。針通りがよい。

コットンボイル
ハリと透け感がある薄手の布地。よりの強い糸を粗く織って作られているため、通気性がよい。

シフォン
シルク素材で透け感があり、薄くて軽い、なめらかな布地。ややマットな感じの光沢をもつ。

普通地～厚地（秋・冬）

綿ネル（起毛コットン）
肌になじみやすくて、やわらかい。毛羽があるのが特徴で、ウールのフランネルに似せて作られた布。

コーデュロイ
たて方向に畝がある厚地のコットン。毛羽があり、温かい布地。シャツにもパンツにも向く。

ウールガーゼ
先染めのウールをガーゼ状に織った布地。ブラウスや羽織りものなどに。洗濯はドライが◯。

ベビー用品

ダブルガーゼ
二重になっているガーゼ生地。肌触りがよく、保温性に優れている。ベビー用品のほか冬物にも向く。

タオル地（パイル地）
タオルのように、ループ状になっている組織をもつ綿布。片面パイルのものがぬいやすく、おすすめ。

レース

綿レース
薄く、透けた生地に、刺しゅうを施して作られる布地。模様の穴があいているものと、いないものとがある。

Lesson 1 ●道具や布、型紙のこと

布の方向と見方

布地の方向や布幅、布の使用量のチェックポイントを確認しましょう。

布の方向

布地を見るときに関連する、織りの方向や名称について紹介します。

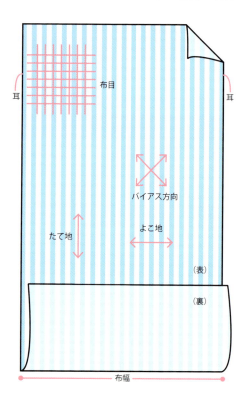

●たて地
たて糸の方向のこと。たて糸はハリが強く、たての方向には伸びにくい性質になる。布目をたて地に合わせると、形くずれしにくい作品になる。

●よこ地
よこ糸の方向のこと。布目は中心線に対して垂直になる。たて糸に比べると伸びやすい。

●バイアス
布の織り目に対してバイアス（ななめ）の方向。もっとも布地が伸びやすく、フレアスカートなどの脇にバイアスがくると裾の広がりがきれいに。
＊本書のフレアスカートは中心線をよこ地で取り、脇の部分がバイアスの方向になるように取っています。

●耳
たて地と並行する布の両端にある、繊維がほつれない部分。耳は縮むことがあるので、作品を作るときはカットして使う。

●表・裏
基本的に色や柄がはっきりしている方、織り目のきれいな方が布の表。

⚠ 柄の向きをチェックしよう

布を買うときに気をつけたいことのひとつに、柄の方向があります。作品の裁ち方図や材料には、必要な布の量がかかれています。
しかし、その作品を作った布と別の布で作るとき、必要な量が異なる場合があります。
とくに、柄に向きのある布を使うときは注意しましょう。

柄に向きがある布

柄に向きがない布

布幅について

作品の型紙を布に配置して裁つときの目安になる「裁ち方図」は、その作品を作った布に合わせてかかれています。そして、それに合わせて材料の布地の量が記されます。
作品によっては、その裁ち方図に記されているとおりの布幅でないとおさまらないものもあります。また、布地の必要量も異なってきます。
布地を購入する前に、作りたい作品に必要となる布地の量をおおまかに見積もっておきましょう。

＊本書の作品は、大きいパーツも110cm幅におさまるよう作られています。

> **36cm幅**
　和服用の反物、きもの地、ゆかた地など
> **シングル幅**
　シルク、綿ブロードなど
> **普通幅**
　リネン、コットン、プリント柄、化学繊維など
> **セミダブル幅**
　ウール、混紡など
> **ダブル幅**
　ウール、リネンなど

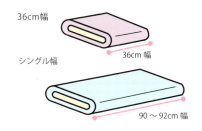
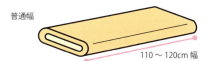
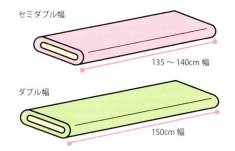

布の使用量について

作る作品が決まったら、どんな素材で作るか考えながら裁ち方図を見て布の使用量を確認しておきましょう。
布が決まっていないときは、右の表で紹介している3種類の布幅を参考に、計算するとよいですよ。

＊1枚裁ちは特別な型紙なので、右の表には当てはまらないことがあります。

例　110cm幅の布で
　　身頃丈60cm、スカート丈80cm、
　　袖丈20cmのワンピースを作る場合

　　身頃丈　スカート丈　　袖丈
　　(60＋80)×2＋20＋30cm
　　＝330cm…330cm以上購入する

●布の使用量について ＊1枚裁ちは除く

スカート	90cm幅	スカート丈×2＋20cm
	110cm幅	スカート丈×2＋20cm
	150cm幅	スカート丈＋10cm
パンツ	90cm幅	パンツ丈×2＋20cm
	110cm幅	パンツ丈×2＋20cm
	150cm幅	パンツ丈＋15cm
ワンピース	90cm幅	(身頃丈＋スカート丈＋袖丈)×2＋30cm
	110cm幅	(身頃丈＋スカート丈)×2＋袖丈＋30cm
	150cm幅	身頃丈＋スカート丈＋袖丈＋20cm
ブラウス	90cm幅	(ブラウス丈＋袖丈)×2＋30cm
	110cm幅	ブラウス丈×2＋袖丈＋30cm
	150cm幅	ブラウス丈×2＋20cm

Lesson 1 ● 道具や布、型紙のこと

針と糸の選び方

手ぬいの針と糸は、ぬっていて気持ちのよいものを選びましょう。

手ぬい針

手ぬいがしやすい布地なら、和針の「四ノ三」があれば、たいていのものが作れます。

はじめの「四」は細い絹針を、後ろの「三」は長さを表しています。四ノ三は、絹針で中くらいの長さ、ということです。「三ノ五」なら木綿用の太めで、長い針です。ぬってみて、自分の手に合う長さを選んで使いましょう。

太い針だと布に通すのに力がいるので、手ぬいには絹針をおすすめしています。

手ぬい糸

基本は、手ぬい専用の糸を使うこと。ミシン糸は左よりの糸ですが、手ぬい糸は右よりによられています。右よりだと糸がからみにくくて、ぬいやすいのです。また、ポリエステル製の糸は木綿糸や絹糸よりも丈夫です。

洋服の本ぬいにはステッチ糸ではなく、手ぬい糸を使いましょう。ステッチを効かせたいときは、本ぬいした後に刺しゅう針を使って、ステッチ糸で並ぬいをします。

糸の色の選び方

よく「糸はぬい目が目立たないものを」といわれていますが、手ぬいはふっくらとかわいいぬい目もポイント。布地になじむ糸も使いますが、そのままステッチが入って見えるように、きれいな色の糸を選ぶことをおすすめします。

仕上げにステッチをするときや、ぬい目を目立たせたくないときに

仕上げにステッチをしないで、手ぬいらしく仕上げたいときに

仕上げにステッチをするときや、ぬい目を目立たせたくないときに

仕上げにステッチをしないで、手ぬいらしく仕上げたいときに

Lesson 1 ● 道具や布、型紙のこと

！ステッチを効かせたいときは？

手ぬいのステッチ用に作られた糸「MOCO」なら、すでにより合わせてあるので刺しゅう糸よりも手軽に、また効果的にステッチを効かせることができます。また、光沢がなく、ふんわりとしたナチュラルな風合いも魅力的。下の写真は、使用する糸による見え方のちがいです。

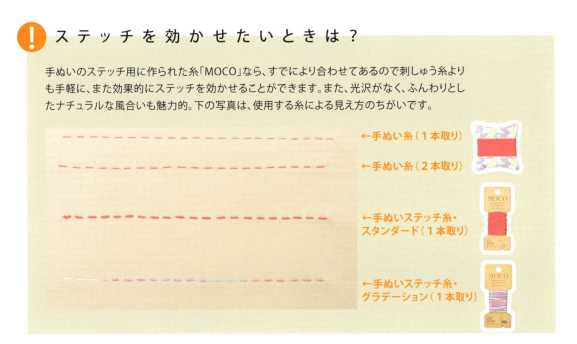

←手ぬい糸（1本取り）

←手ぬい糸（2本取り）

←手ぬいステッチ糸・スタンダード（1本取り）

←手ぬいステッチ糸・グラデーション（1本取り）

布の準備

布に印をつけたり、裁断をする前にしておくべき「布の準備」について紹介します。

リネンの水通し

リネンやコットンは、水分を含むと縮む性質があります。とくにリネンは水に通してから使うようにしましょう。

1 水にさらす

2 しわを伸ばす

水をはったたらいに布地を入れ、軽く押し洗いするように水にさらします。

しわを作らないよう、水気を含んだままピンと張らせながら、たらいから布地を引き上げます。

3 たたいて水気を抜く

4 生乾きでアイロンをかける

折りたたみ、手のひらで押したたいて水気を抜きます。

布地を干し、生乾きのままドライアイロンで布目を整えながら乾かします。

! 水通しが必要な布地

水通しが必要な布地は、洗濯すると縮む性質をもった布地です。国産の綿布は必要ないものがほとんど。また、コーデュロイや起毛コットンなどはしない方がよい布地です。リネン（亜麻）やラミー（苧麻）などの麻の布は、水通しをしましょう。

---- 水通しがNGな布 ----

● **シルク、化学繊維、毛並みのある布**
布の裏側から軽くドライアイロンをかける

● **ウール**
布の裏側からスチームアイロンで布目を整えるようにアイロンがけ

接着芯について

接着芯とは、作品の形がくずれるのを防ぐために使う素材です。アイロンの熱で布の裏側に接着させます。

● 薄地用(ストレッチ)
ボイルなどの薄地で仕立てるシャツやブラウスの見返し、衿、袖口などに。

● 厚地用(ストレッチ)
コーデュロイなどの厚地で仕立てる羽織りものの前身頃や見返し、袖口などに。

● 普通地用(ハード)
シルエットをパリッとさせたいバッグなどには、かたく仕上がる不織布タイプのものを。

● 接着インサイドベルト
パンツやスカートのウエストに入れるための専用の接着芯。接着がないベルト芯もあるので、購入前に確認を。
＊本書では、バッグの口部分を丈夫にするために使用しています。

● 接着伸び止めテープ
ファスナーあきや衿ぐり、前端など力が加わりやすい箇所やカーブ部分の布地の「伸び」を止めるために使います。

接着芯の貼り方

ずれやすいので、接着してから裁断するのがおすすめ。事前に、使う布の切れ端で試し貼りしてから使いましょう。

❶ 見返しに接着芯を貼る場合。型紙どおりに接着芯を裁断する。

❷ アイロン台の上に布の裏側を上にして置き、接着芯の糊面(キラキラしている方)を下にして布の上に置く。

❸ アイロンをドライにし、中温(140〜160℃)で端からかけ残しがないように1か所につき10秒ほど圧力をかけながら押さえ、少しずつ当てていく。

Lesson 1 ● 道具や布、型紙のこと

型紙の選び方

型紙を選ぶときのポイントを解説します。サイズの合う型紙を使うのが大切です。

サイズ表

本書の型紙は、以下のサイズの人を基準として作られています。いちばん近いものを基準にしてください。

おとな

	M	L	LL
身長	156	160	162
バスト	84	92	100
ウエスト	68	74	80
ヒップ	92	96	102

＊単位はcm

子ども

	100	110	120
身長	100	110	120
バスト	54	58	62
ウエスト	49	51	53
ヒップ	57	61	65

＊単位はcm

型紙を選ぶときの基準について

型紙の線がサイズ表どおりの寸法だと思って、ひとつ上のサイズの型紙を選んでしまう人もいます。そうすると、でき上がった作品を着てみたときにゆるゆる。それは、型紙は「でき上がり寸法」で作られているからです。
でき上がり寸法とは体の凹凸などを考慮して、着たときにきれいに見えるように、ゆとりをもたせた寸法のこと。すでにゆとりがある型紙に、ゆとりをプラスする必要はありません。
採寸してみて、いちばん近いサイズのものを素直に選びましょう。また、バストはLで、ウエストはMなど部位によってサイズが異なる場合があると思います。型紙のラインを選んで、着る人に合った型紙を作りましょう（p.26参照）。
身頃があるブラウスやワンピースはバストサイズで、スカートやパンツはヒップサイズを目安に選びます。

サイズ表は「ヌード寸法」

ヌード寸法とは、体を測ったそのままのサイズのこと。
型紙のサイズは、バストとヒップの寸法を基準に選びましょう。
バストの寸法が、88cmでMかLか悩む場合（通常Mサイズを着ている人はMで大丈夫です）は、実物大型紙のMとLの線の中間をつないで型紙を作りましょう（p.26参照）。ヒップの場合も同様です。

採寸の仕方

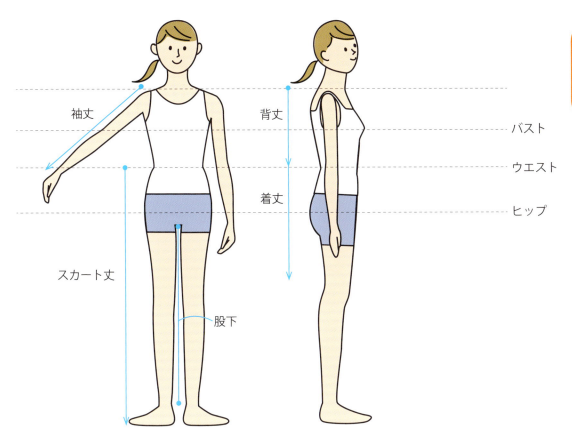

Lesson 1 ● 道具や布、型紙のこと

正しい姿勢

頭 正面をまっすぐ向いて立ち、あごを引く。

肩 力を入れず、両肩の位置を水平にする。

背 背筋を伸ばし、まっすぐ立つ。

足 足の裏を床につけ、両足を肩幅に開いて立つ。

● **バスト、ウエスト、ヒップ**
メジャーを水平にして、締めすぎず、ゆるすぎないように加減して測る。

● **背丈（着丈）**
首のつけ根の骨（背中のいちばん上にあるでっぱり）から、ウエストまでが背丈。首のつけ根から裾までが着丈。

● **袖丈**
腕を自然に下ろし、ひじを軽く曲げる。肩先からひじ、手首までの長さを測る。

● **股下**
足のつけ根からくるぶしまでの長さ。股上は、いすに座ってウエストの脇からいすの座面までを測る。

型紙の読み方

型紙に使われている記号と基本的な使い方を覚えましょう。

型紙の記号

本書の型紙で使用している記号について解説します。

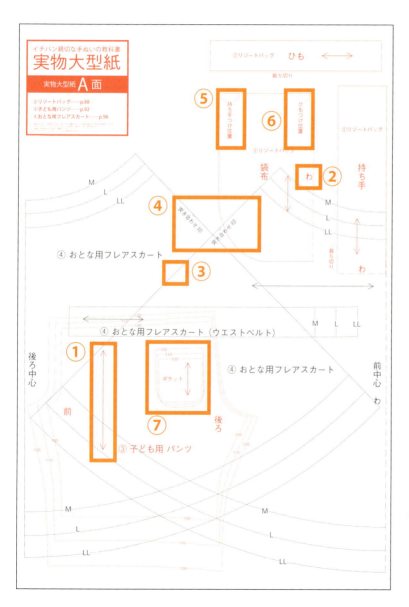

① 布目線
布目のたて方向を示す線。型紙にある布目線を、布のたて糸に合わせる。

② わ
型紙の「わ」の位置を、布のわに合わせる。裁ち方図で布の折り方を確認する。

③ でき上がり線
作品の仕上がりの位置を示す線。ぬいしろをつけるのが基本。

＊ぬいしろ込みの型紙もあり、本書は「裁ち切り」のパーツはぬいしろ込みの型紙。

④ 突き合わせ印
服などで紙におさまらない大きいパーツの型紙についている印。2分割された印（◎など）が合うようにして使う。

⑤ ⑥ つけ位置
ほかのパーツをつける位置を示す印。わになっているときは、型紙を反転して反対側にも印をつける。

⑦ ポケット
ポケットの型紙が中にあるものは、その位置につける。

記号の使い方

まちがえずに使ってほしい2つの記号について、くわしく解説します。
図の意味を理解して、正しく活用しましょう。

 布のたて地に合わせる記号です。型紙には、作品のデザインに合わせた取り方で布目線が記されています。

 型紙の端までおさまるように布を折り、その折り山に合わせる記号です。

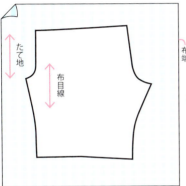

基本の置き方（たて地）
たて糸の伸びない性質が生かされ、ストレートのラインがきれいに出る。

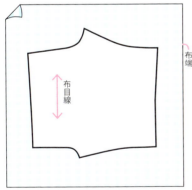

よこ地
たて糸の性質によって、よこの方向にボリューム感が出る。

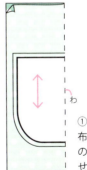

① 型紙がおさまる幅で布を折り、型紙の「わ」の位置を折り山に合わせる。印をつける。

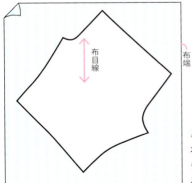

バイアス
布地がよく伸びるので、きれいなドレープが出る。

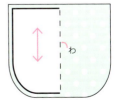

② 型紙をつけたまま布を裁ち、広げたところ。型紙をわの位置で反転し、反対側にも印をつける。

Lesson 1 ● 道具や布、型紙のこと

型紙の直し方

型紙のサイズが部分的に合わない、好みの丈にしたいといった場合は、下記を参考に調整を。

1枚裁ちのトップス

1枚裁ちは特別な型紙です。身頃と袖が一緒になっているので、幅の調整など要注意。反対側も忘れずに。

バストのサイズを大きくしたい

(例) 袖、身頃の丈は変えずに、バストのみMからLに変更する。

バストのサイズを大きくしたい(身頃の横幅を広げたい)ときは、衿ぐりは基準のまま、袖・身頃の丈も基準のままで、袖と裾の幅のラインを大きくしたいラインまで延長線を引きます。反対側も同じく延長線を。この延長線で実物大型紙を写して、型紙を作ります。
ゆったりしたシルエットのトップスが完成します。

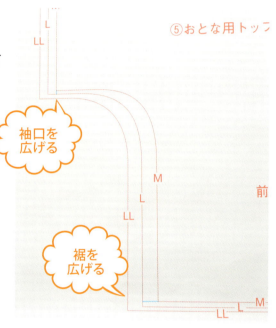

着丈の補正

(例) 着丈のみMからLLに。

着丈を伸ばしたいときは、脇線をまっすぐ延長して引きます。短くしたい場合は、前中心と脇線の線を短くしたいところで、垂直につなぎます。反対側も同じ長さでつなぎましょう。

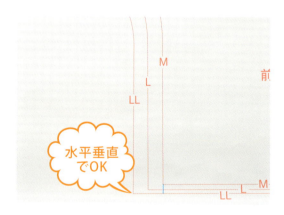

袖丈の補正

(例) 袖丈のみMからLに。

袖丈を伸ばしたいときは、袖丈のラインをまっすぐ延長して引きます。短くしたい場合は突き合わせで型紙を1枚に写した後、短くしたいところで袖丈のラインを垂直につなぎます。

1枚裁ちのフレアスカート

前中心をよこ地で取る本書のフレアスカートは、裾の広がりが生きる長めの丈で作るのがおすすめです。

スカート丈を調整

1枚裁ちの型紙なのでスカート丈を長くする、短くするのは簡単。スカート布のウエスト、ウエストベルトの寸法は基準のまま、長くしたい・短くしたいところの裾線を選びましょう。

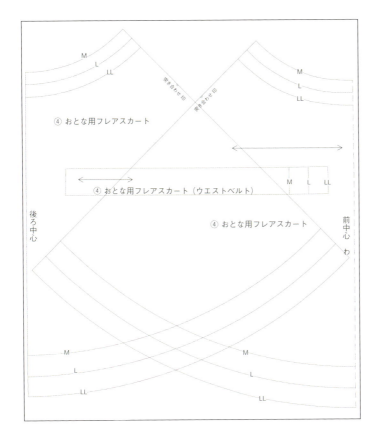

Mサイズ
①Lの裾線なら2cm長くできる
②LLの裾線なら3.5cm長くできる

Lサイズ
③Mの裾線なら2cm短くできる
④LLの裾線なら1.5cm長くできる

LLサイズ
⑤Mの裾線なら3.5cm短くできる
⑥Lの裾線なら1.5cm短くできる

＊これ以上長くするときは、前中心・後ろ中心を長くしたい長さで延長線を引き、裾のラインを型紙のラインを見ながらフリーハンドで慎重に線をつなぎましょう。短くしたいときは、裾のラインの内側に印をつけて線を引きましょう。

（例）
身長150cm、ヒップ103cm→ウエストLLで、丈をMにする。
身長170cm、ヒップ89cm→ウエストMで、丈をLLにする。

型紙を用意する

実物大型紙を写して、自分の寸法に合った型紙を用意しましょう。

型紙を選ぶ

作りたい作品の型紙とサイズで型紙の線をなぞり、写したい作品がひと目でわかるようにします。

1 作りたい作品の型紙を探す

実物大型紙は、さまざまな作品の線が重なり合っています。作りたい作品に使うパーツの型紙を探しましょう。

2 作りたいサイズの線を探す

作品の型紙の位置がわかったら、服なら作るサイズの線に印をつけましょう。サイズ調整する場合はこのときに。

3 使う型紙をなぞる

ハトロン紙をのせたときにわかりやすいよう、作りたい作品の型紙の線をなぞります。

point 1　サイズの表記を目印に引く

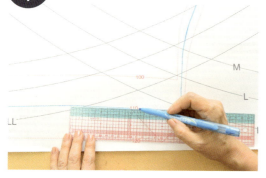

消せるマーカーなどを使い、作る作品のサイズの実物大型紙の線をなぞります。

point 2　使用するパーツを確認する

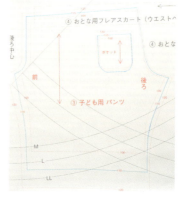

型紙をなぞったら、裁ち方図を見て、きちんと必要なパーツがそろっているか確認を。

型紙を写す

実物大型紙にハトロン紙をのせ、方眼定規とえんぴつなどで使う型紙を写しましょう。

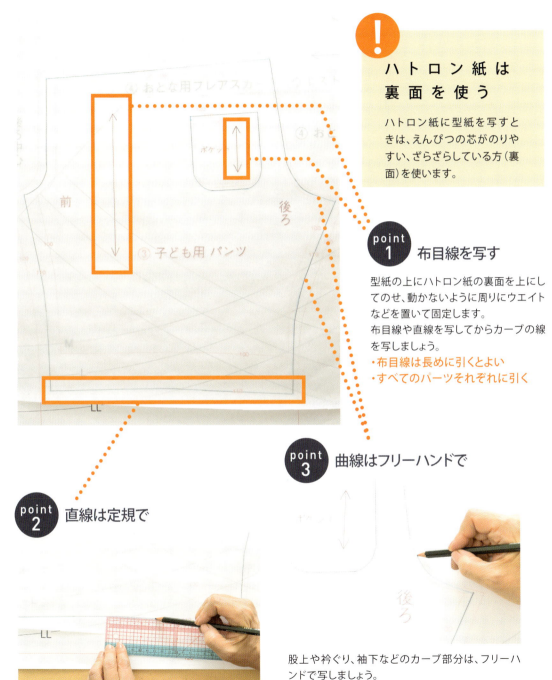

⚠ ハトロン紙は裏面を使う

ハトロン紙に型紙を写すときは、えんぴつの芯がのりやすい、ざらざらしている方(裏面)を使います。

point 1 布目線を写す

型紙の上にハトロン紙の裏面を上にしてのせ、動かないように周りにウエイトなどを置いて固定します。
布目線や直線を写してからカーブの線を写しましょう。

・布目線は長めに引くとよい
・すべてのパーツそれぞれに引く

point 2 直線は定規で

直線は方眼定規を使って、まっすぐ線を引きます。

point 3 曲線はフリーハンドで

股上や衿ぐり、袖下などのカーブ部分は、フリーハンドで写しましょう。

Lesson 1 ● 道具や布、型紙のこと

型紙を確認する

ハトロン紙に、型紙が写せているか確認しましょう。パーツが型紙の中にある場合は、それぞれが切り取れるように別に写します。

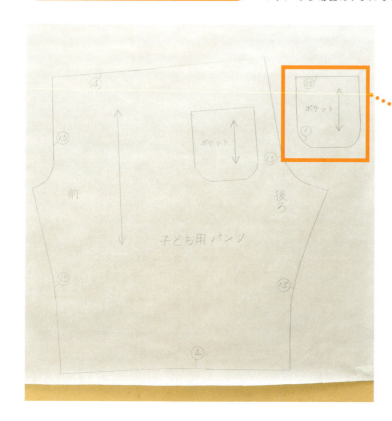

point 1 パーツごとに写す

すべてのパーツがそれぞれで切り取れるようになっているか、必要なパーツがきちんと写せているか、写しもれがないかチェック。

＊パンツの内側のポケットは、パンツの型紙にも、つけ位置としてかきます。

point 2 情報を書き込む

型紙に書かれているパーツの部位や、前・後ろなどの情報を写します。裁ち方図を見て、型紙の内側にぬいしろの数字を書き込みましょう。

! 情報は型紙の線より内側に書く

ハトロン紙に写した型紙は、後で切り取ります。情報を線より外側に書いてしまうと、せっかく書いた情報がなくなってしまいます。
とくに前・後ろやぬいしろなどの情報は大切！
どこのことを示しているのか、引き出し線を引いて、そこに情報を書き込む習慣をつけましょう。

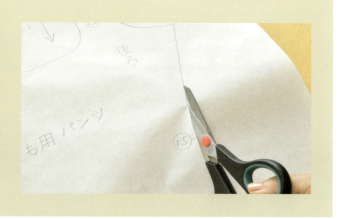

型紙を切り取る

型紙の線や情報がきちんと写せていることが確認できたら、ハトロン紙から型紙を切り取りましょう。

point 1　型紙の線で切る

型紙は写した線の上を切ります。型紙を切り取ったときに型紙を写した線が見えない状態がよい型紙です。

point 2　小さなパーツはおおまかに切ってから

ポケットなどの小さなパーツを、直接切り取るのはめんどうです。周りを粗裁ちして、手元でていねいに切りましょう。

Lesson 1 ● 道具や布、型紙のこと

⚠ はさみは必ず紙切り専用のものを使う

裁ちばさみや布を切るための小型ばさみで紙を切ってしまうと刃が傷み、切れ味が落ちる原因に。必ず紙切り用のはさみを使いましょう。また、紙切り用のはさみで布を切るのもNGです。
見た目でわかりにくいときなどは、持ち手に目印をつけておくと○。

型紙の配置と裁断

切り取った型紙を布に置いて、印をつけてから裁断しましょう。

布地の合わせ方

布の合わせ方は2つあります。
布の表裏をきちんと確認しましょう。

中表

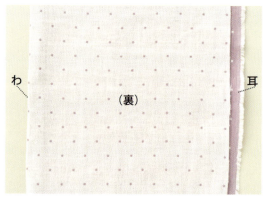

表が内側になるように布を合わせること。

外表

表が外側になるように布を合わせること。

裁ち方図を確認する

ここでは、p.92の子ども用パンツを例に説明します。
裁ち方図を見ながら、同じように型紙を配置しましょう。

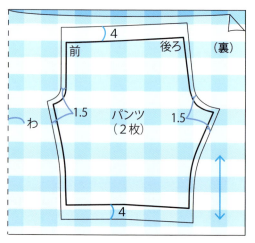

布地の合わせ方はどうなっているか

布地の合わせ方は、半分に折るだけではありません。
どれぐらいの幅で、どんな折り方をしているかを確認しましょう。

型紙をどのように置いているか

折った布地に対して、型紙をどう置いているか確認。裁ち方図は、ぬいしろも考慮して型紙を配置しています。

布地に型紙を置く

布地を中表に折り、布の方向に注意しながら、裁ち方図どおりに型紙を置きます。

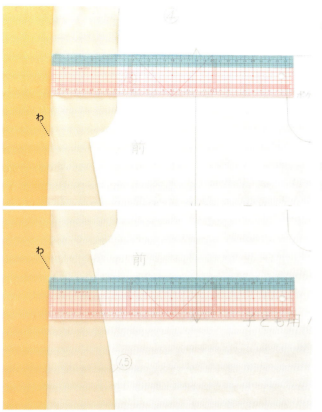

1 布地を中表にする

裁ち方図と同じように布地を中表に折ります。布地に型紙を置き、ぬいしろをつけるスペースがあるか、全体を確認します。

2 布目にそろえる

布目と、型紙の布目線をそろえます。布のわと方眼定規の端を合わせ、型紙の布目線とたての線が合うか、上下2か所ほど、方眼定規を布目線の上でスライドさせてぴったりそろえます。

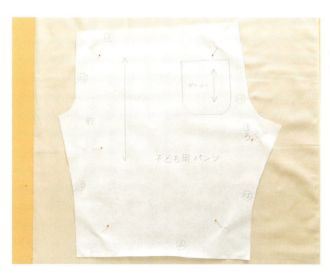

3 まち針で止める

型紙が動かないように角になっている部分をまち針で布地に止めます。針は裏側の布地まで通して、裏側も一緒にきちんと止めましょう。

Lesson 1 ● 道具や布、型紙のこと

布を裁つ

型紙を布地に固定したら、でき上がり線とぬいしろなどの印をつけてから裁断します。

1 まち針で止める

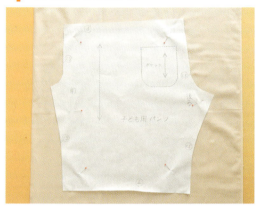

中表にした布地に、布目をそろえて型紙を置き、まち針で固定する。
＊まち針は裏側の布もすくって、止めます。

2 でき上がり線をかく

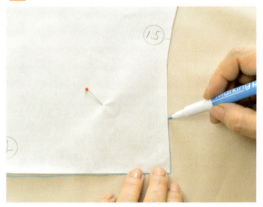

水で消えるチャコペンで、型紙に沿ってでき上がり線をかきます。定規は使わず、フリーハンドで型紙のラインに沿って写しましょう。

3 ぬいしろをつける

ほかの線と交差する角は長めに引く

方眼定規と、時間がたつと自然に消えるチャコペンを使って型紙にかき込んだとおりのぬいしろをつけます。型紙の端を方眼定規に合わせ、定規のラインを生かして。

4 布を裁つ

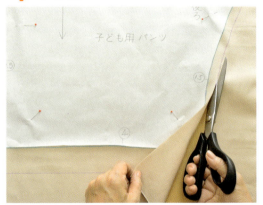

布を動かさないように、持ち上げないようにして2枚一緒に布を切ります。体の位置を動かすことで、つねに正面にはさみがくるように動かしましょう。型紙はつけたまま切ります。

5 反対側にも印をつける

パンツのパーツの布地を裁断したところ。
この後、反対側のパーツにも、でき上がり線などの印をつけていきます。

6 裏返して、角をそろえる

型紙を外し、布地がずれないように2枚一緒に裏返します。でき上がり線の角にまち針を刺し、角をそろえましょう。型紙を固定したところを目安に、数か所行います。

7 反転した型紙を置く

角を示しているまち針に合わせて、反転した型紙を置きます。

8 まち針で止め、でき上がり線を引く

まち針で型紙を布地に固定し、水で消えるチャコペンででき上がり線をかきます。基本的な布地の準備ができました。

内側にある印のつけ方

ポケットなど、型紙の内側に印をつける場合の方法を紹介します。
本書のポケットは、型紙の位置どおりにつけます。

1 型紙に穴をあける

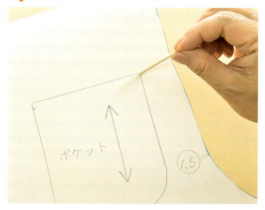

型紙のポケットつけ位置の目印とするため、角のところに、目打ちやつまようじなどで穴をあけます。

2 布の表に型紙を置き、印をつける

ポケットをつける方のパンツの布地の表に、でき上がり線などでそろえて型紙を置きます。水で消えるチャコペンで穴のところに印をつけます。
＊右パンツの後ろにつけるため、型紙を反転しています。

3 位置を合わせて置く

ポケットをつけるときは、布地の表につけたポケットつけ位置にポケット布の角を合わせます。

4 まち針で止める

まち針でポケット布を固定してぬいつけたら、パンツ布にポケットがつきます。

Lesson 2

作品に合わせて選ぶ
手ぬいの基本を学ぼう

作りたい作品や用途に合ったぬい方を
マスターすれば、ちゃんと手ぬいで作れます。
まずは基本を覚えましょう。

針と糸の準備

ぬい始める前に、ぬい針と糸の準備をしておきましょう。

糸を通す

手ぬい糸は、糸通しを使って糸を通しましょう。
同じ糸を通した針を、数本用意しておくと◎。

糸通しを使う場合

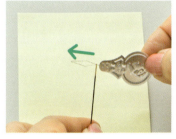

❶針穴に糸通しの輪をさし込む。

❷糸通しの輪に、使う糸の先端を入れる。

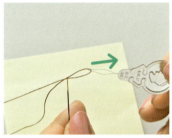

❸糸通しの頭を持ち、糸端が針穴から抜けるまで引く。

デスクスレダーを使う場合

❶デスクスレダーの「針入れ」の穴の中に、針穴をさし込む。

❷「糸かけ」の溝に、使う糸を渡しかける。

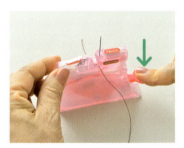

❸レバーを下まで、軽く押す。

❹針をつまんで持ち上げる。

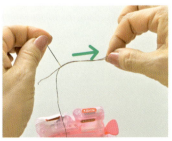

❺針穴から出ている糸をつまんで、糸端が抜けるまで引く。

糸の長さ

糸通しが苦手だと、糸を必要以上に長くしがちです。ぬう前に糸通しを使って、ぬいやすい長さのものを数本用意しておきましょう。糸の長さは、自分の体に合わせて決めます。

まず、糸を通した針を指先で持ち、ひじを曲げます。短い方の糸端をひじのところで合わせ、長い方はひじから15cmくらいにしましょう。このくらいの長さが、自分の手を動かすときに、ぬいやすくておすすめ。

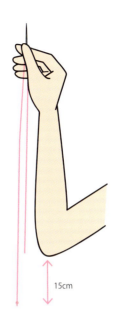

玉結びの作り方

ぬい始めの玉結びの作り方は、やり慣れた方法でOK。

しかし、「かた結び」をしている人や、ぬっていて糸を引いたときに玉結びが出てきて抜けてしまったという人は、ぜひ以下の玉結びの作り方を覚えてください。

きれいで、きちんと止まってくれる玉結びを作ることができます。

❶針に通した糸の、長い方の糸端を人さし指に当てる。

❷親指で糸端を押さえながら、人さし指に1回巻きつける。

❸糸を押さえたまま、数回より合わせ、中指でよりを押さえて糸を引く。

基本のぬい方

手ぬいに使われる基本のぬい方について、ぬい方の手順とその利点をくわしく紹介します。

ぬい始めとぬい終わり

ぬい始めとぬい終わりには、必ず返し針をします。
返し針をすると、力が加わりやすい端の部分もほどけにくくなり、ぬい目が丈夫になります。

返し針をする

返し針（ぬい進んだ針をひと針戻してぬうこと）を行うと、ぬい目がほどけにくく、作品を丈夫に仕立てることができます。
とくに、力が加わりやすい場所になりがちな「ぬい始め」と「ぬい終わり」は必ず返し針をしましょう。
ぬい始めは、ふた針返してぬい進めます。ぬい終わりは、ふた針返して玉どめを作った後、もうひと針返して糸を切れば、丈夫になります。

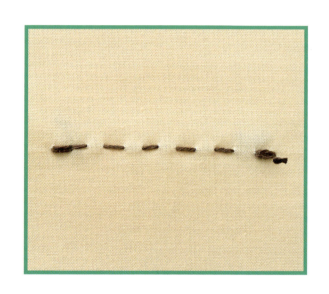

ぬい始め

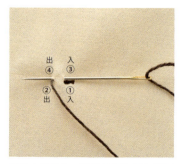

❶ひと針ぬい、針を最初に戻して同じところをもうひと針ぬう。

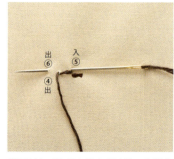

❷同じところをもう1度刺し、2針先のところに針を出す。ぬい進める。

ぬい終わり

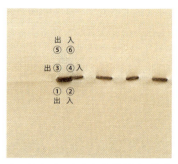

ぬい終わりの糸をふた針返す。針先に玉どめを作り、ひと針返す。

＊返し針がわかりやすいよう、玉どめを行っていません。

玉どめをする

ぬい終わりに行うのが、玉どめです。玉どめを作った後、ひと針返すとしっかり糸を止めることができます。
玉結びや玉どめを見せたくないときは、折り込んだ布の内側に結び目をしまうようにするとよいでしょう。
ぽこっとした丸い玉どめが表にできると、手ぬいらしくかわいらしい味わいがあります。

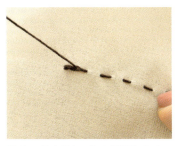

❶ぬい終わりに、ふた針返したところ。布を持ち直す。

❷ぬい終わりの糸を針に2〜3回巻きつける。

❸巻いた糸を針の根元(布と接しているところ)に寄せる。

❹巻いた糸を押さえて、針を抜く。

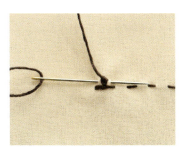

❺玉どめができた。ひと針返す。

❻玉どめの根元で糸を切る。

並ぬい

手ぬいの基本となるぬい方です。
チクチクとリズミカルにぬいましょう。
並ぬいをうまくぬうコツは、きちんとでき上がり線を引いてその上を等間隔でぬうこと。
衿ぐりや袖口、裾などを並ぬいのステッチで仕上げるときは、表に出る針目を長めに、裏を短めにするときれいに見えます。また、ぬった糸をキュッと引っ張るのではなく、そっと引くようにすると◎。
ふっくらとした仕上がりがすてきです。

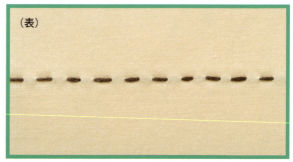

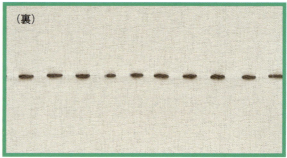

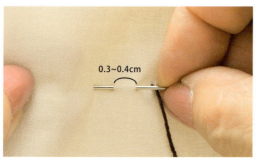

❶ひと針0.3～0.4cmほどの間隔で布をすくう。針を向こう側に出すときは、右手で針を動かしながら左手で持っている布を手前に引く。

❷針を手前側に出すときは、左手に持った布を下に押すようにする。2～3針、布をすくう。

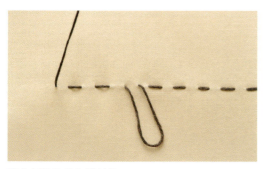

❸糸を引き、ぬい進める。

❹並ぬいしたところ。

返しぐしぬい

ぬい合わせの基本となるぬい方です。丈夫に仕上げたい部分に使うぬい方で、2～3針並ぬいしたらひと針返しぬいを入れます。

並ぬいの感覚で、ひと針返すだけなので、半返しぬいや本返しぬいよりも早く、簡単にぬうことができます。

バッグの袋布やパンツ、スカート、袖下など、長い距離のものを丈夫にぬい合わせたいときなどに重宝します。

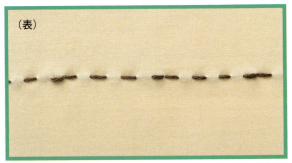
（表）

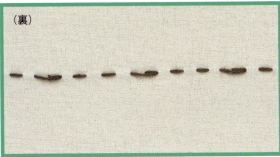
（裏）

Lesson 2 ● 手ぬいの基本を学ぼう

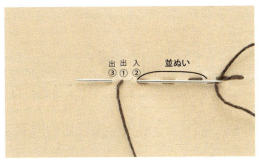

❶ 2～3針、等間隔に並ぬいする。ひと針戻って針を入れ、ふた針分先に針を出す。

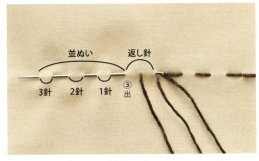

❷ 2～3針、等間隔に並ぬいする。

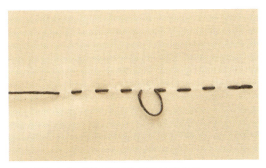

❸ 糸を引く。❶、❷をくり返してぬい進める。

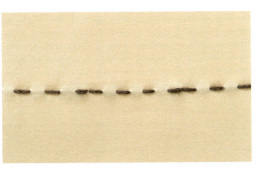

❹ 返しぐしぬいしたところ。

半返しぬい

ひと針ぬうごとに、ひと針の半分戻るぬい方です。

短い距離でも丈夫にぬえます。たとえば、ゴムテープをぬい止めるときやファスナーつけなどに使います。

半返しぬいの表のぬい目は、並ぬいのようになりますが、通常の幅でぬうと半分ほどの大きさになってしまうので、すくう布幅を調整するとよいでしょう。

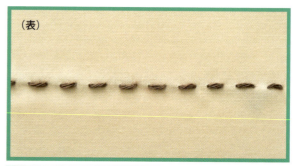
（表）

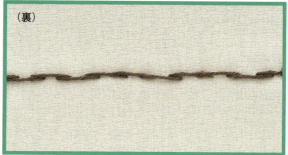
（裏）

❶ひと針すくい半分戻って、ひと針先に出す。
＊写真は、並ぬいと同じ0.3〜0.4cmのぬい目に見えるぬい方です。

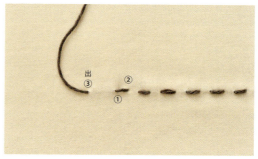

❷糸を引いたところ。ぬい目の大きさの2倍先に糸が出る。

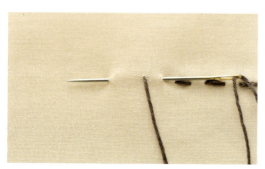

❸半分戻り、ひと針先に出す。❷、❶をくり返す。

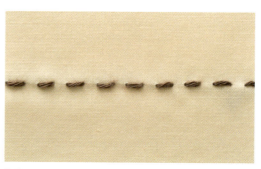

❹半返しぬいしたところ。

本返しぬい

とくに丈夫にぬいたい場所に使われるぬい方です。
ひと針ぬったらひと針戻る、をくり返してぬい進めます。
表のぬい目がミシンのぬい目のようになるので、一部ぬい目がほつれてしまった市販の洋服を手ぬいで補修するときなどに使うとよいでしょう。

（表）

（裏）

Lesson 2 ● 手ぬいの基本を学ぼう

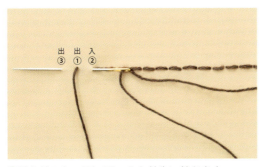
❶針を前のぬい目に戻し、ふた針先に針を出す。

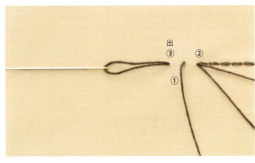
❷糸を引く。

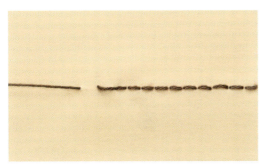
❸ぬい目がつながっているように見える。❶、❷をくり返す。

❹本返しぬいしたところ。

まつりぬい（ななめまつり）

表にぬい目を目立たなくしたいところに使われる、まつりぬいの代表的なぬい方です。単にまつりぬいといったときは、このぬい方をいいます。

ぬった糸がななめに向くので、スカートやパンツなどの裾をまつるときに使われます。また、きものの仕立てやリフォームをする際にも適しています。

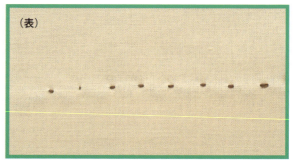

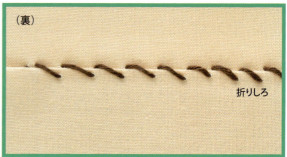

❶三つ折りの山折り部分（折り山）から針を出し、布の裏側（三つ折りになっていない部分）を小さくすくう。
＊すくう部分が表に出るぬい目となるので、ほんの少しだけすくうようにする。

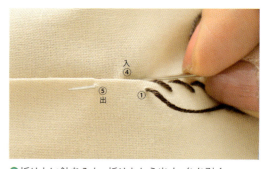

❷折り山に針を入れ、折り山から出す。糸を引く。

❸①と②を通った糸がななめに折り山にかかる。❶、❷をくり返す。

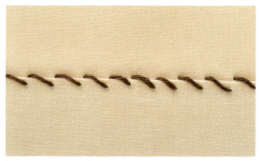

❹まつりぬいしたところ。

たてまつり

しっかり止めたいところに使われるまつり方。たてにぬい目があるまつりぬい（表にぬい目が目立たないぬい方）なので、たてまつりといいます。
布端をくるんだバイアステープを裏側でぬい止めるときや、アップリケなどを表からぬい止めるときなどに使います。
表からたてまつりをすると、端にたてのぬい目ができ、それもかわいいアクセントに。

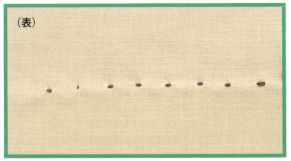

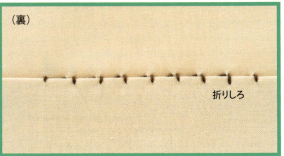

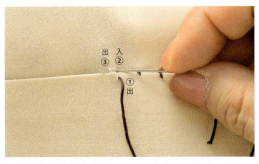

❶折り山から針を出し、直角に布の裏側（三つ折りになっていない部分）に針を入れ、小さくすくう。

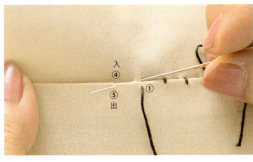

❷折り山に針を入れ、折り山から出す。糸を引く。

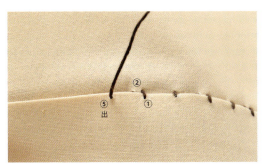

❸①と②を通った糸がたてに折り山にかかる。❶、❷をくり返す。

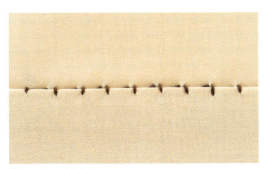

❹たてまつりしたところ。

コの字まつり

表側から折り山部分を「コの字」に糸を渡してまつるので、コの字まつり。

布の表にも裏にもぬい目が出ないぬい方で、返し口（ぬい合わせたものを、表に返すためにぬい残す部分）を閉じたりするときに使います。

本書では、きものリフォームのジャケットで袖下のあきを閉じるときに行っています。

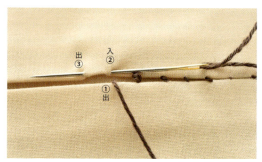

❶折り山の内側に、ひと針めを出す。向こう側の折り山に直角にふた針めを入れ、同じ折り山に3針めを出す。

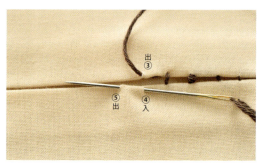

❷糸を引き、直角に手前側の折り山に針を入れ（コの字になる）、同じ折り山に針を出す。

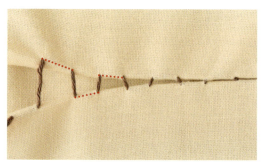

❸❶、❷をくり返す。折り山を広げると写真のように糸が渡っている。

❹コの字まつりしたところ。

三つ折り仕上げ

ぬいしろを三つ折りし、並ぬいでぬい止めるぬいしろの仕上げの仕方。

手ぬいでは裾や袖口などのぬいしろの仕上げは、この三つ折り仕上げで行うのが基本です。

「爪アイロン」でふっくらとしたやさしい感じに折った三つ折りを、ふっくらとした並ぬいのぬい目で仕上げましょう。

ここでは、爪アイロンで行う三つ折りのコツを紹介します。

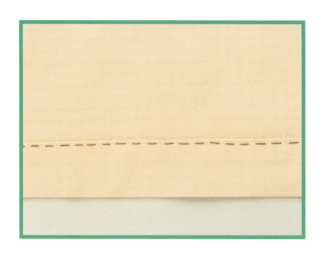

❶でき上がり線で布を折り、折り山に右手の親指の爪を垂直に立て、少しずつ爪を動かしながら折り目をつける。

❷でき上がりの折り目を開き、内側に布端を折る。折り山に爪アイロンする。

❸でき上がりで折り、まち針で止める。ぬいしろの際を並ぬいする。

＊直線部にまち針を打つときは、まず両端（A）・中心（B）を止め、さらにAとBの中心を止めます。

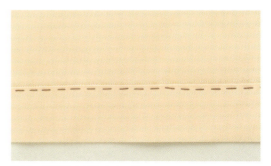

❹三つ折り仕上げしたところ。

袋ぬい

ぬいしろの仕上げの基本になるぬい方。ぬいしろが中に入るようにぬわれるので、布端が肌に触れてちくちくする、ということがありません。赤ちゃんの肌着やおむつなどは昔から、この袋ぬいでぬわれています。
並ぬいと返しぐしぬいで2回ぬうので丈夫になり、肌触りも◎。手ぬいならではの工夫がみられるぬい方です。

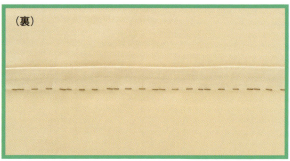

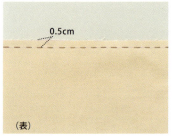

❶外表に合わせて、布端から0.5cmのところを並ぬいする。

❷布を開いて、ぬいしろを爪アイロンで割る。

❸中表に合わせ直す。

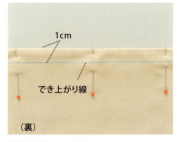

❹まち針で止める。

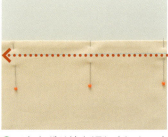

❺でき上がり線を返しぐしぬいする。

❻袋状になったぬいしろを片側に倒す。

折り伏せぬい

股下など、すっきりかつ丈夫に仕上げたいときに用いるぬい方です。
布をぬい合わせるときに返しぐしぬいをし、片方のぬいしろをくるんだぬいしろを押さえるために並ぬいをします。
このとき、ぬいしろの1枚を幅半分でカットするのが、ぬったところをすっきりさせるポイント。表には並ぬいのぬい目が出ます。

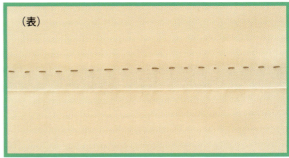

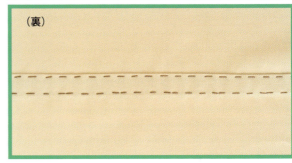

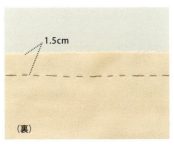

❶中表に合わせて、でき上がり線を返しぐしぬいする。

❷ぬいしろを倒す側のぬいしろを、幅半分切り取る。

❸布を開き、切っていない方のぬいしろを半分に折りながら、❷のぬいしろをくるんで倒す。まち針で止める。

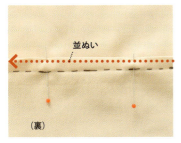

❹倒したぬいしろの際(折り山)を並ぬいし、ぬいしろを押さえる。

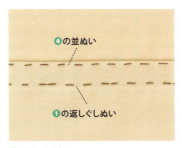

❺ぬい上がり。

割り伏せぬい

スリットやスラッシュあきなどの、ぬいしろを割って仕上げるところに使うぬい方です。
返しぐしぬいでぬい合わせた後、ぬいしろを割ってそれぞれ折り込み、ぬいしろを押さえるために並ぬいをします。
布をぬい合わせているのは、返しぐしぬいのところだけなので、ぬい止まりに2～3回糸を渡して止めるとほどけにくくなります。表には並ぬいのぬい目が2本出ます。

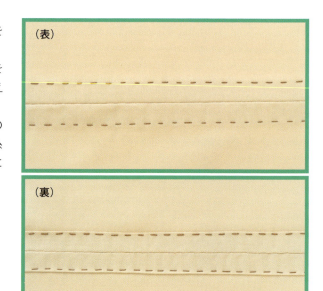

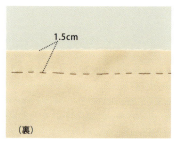

❶ 中表に合わせて、でき上がり線を返しぐしぬいする。

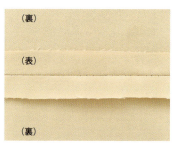

❷ 布を開いて、ぬいしろを爪アイロンで割る。

❸ ぬいしろを内側に半分折り込み、まち針で止める。

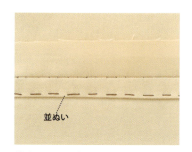

❹ ぬいしろの際を並ぬいする。

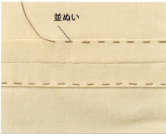

❺ もう片方も同様にぬいしろを折り込み、ぬいしろの際を並ぬいする。

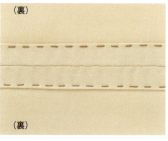

❻ ぬい上がり。

Lesson 3

作品の仕上がりを決める
ボタンや バイアステープを 使ってみよう

手ぬいでチクチク、ていねいに仕立てる作品は
細部までこだわりたいもの。
ボタンやファスナーなどの付属品や、
仕上げのアレンジについてまとめました。

開閉部の付属品について

服や小物のあき部分に使う付属品について紹介。使い方やつけ方などを説明します。

ボタンの種類

足つきボタン

正面に穴がなく、裏側に穴（足）がついている高さのあるボタン。

つけ方：p.56

二つ穴・四つ穴ボタン

正面に2つ以上の穴があいているボタン。二つ穴・四つ穴のボタンのつけ方は同じ。四つ穴に糸を渡すときは十字でなくとも○。

つけ方：p.55

くるみボタン

表面が布などでくるまれているボタンのこと。バイアステープの共布で作ったり、お気に入りの布地の余り布で作っておくと楽しい。つけるときは、足つきと同様に行う。

作り方：p.57、58

❗ ボタンの素材について

ボタンは、作品の雰囲気に合わせて好みのものを選ぶことができます。ただ、扱い方に注意が必要なものもあります。

手ぬいで使うボタンは主に、丈夫なプラスチック製のもの。洗濯して割れたりするといった心配の少ない素材です。

注意すべき素材は、独特の光沢がある貝ボタンやナチュラルな木製のものなどです。こういった天然素材のボタンは、非常にデリケート。洗濯する頻度が高いものには、なるべく避けた方が無難です。

貝ボタンつきのものを洗濯するとき

❶ 貝ボタンを1つずつアルミホイルで包む。
❷ ボタンが内側にくるように、服を裏返しにする。
❸ ボタンがいちばん内側にくるようにたたむ。
❹ たたんだまま洗濯ネットに入れる。
❺ 弱や手洗いコースで洗う（脱水は避ける）。
❻ 取り出し、たたんだまま軽く押して水気を絞る。

二つ穴・四つ穴ボタンのつけ方

❶玉結びを作り、つけ位置の中心を表からひと針すくう。
＊手ぬい糸（2本取り）で行う。

❷もうひと針同じところをすくう。

❸④をボタンの裏から★に通し、片穴に出す。❷と同じところをひと針すくい、★に針を入れる。

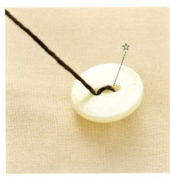

❹糸を引き、ボタンの位置を固定する。布の厚み分のゆるみ（糸足）をつけ、☆に針を入れる。

❺☆に入れた針でそのまま、布をすくう。同様にして3〜4回、糸をボタンの穴に通す。

❻ボタンの裏から糸足（根元）に糸を巻きつける。

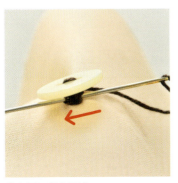

❼糸足に針を通す。

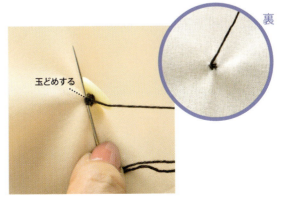

❽糸足の近くで玉どめを作り、布の裏側に糸を出して切る。

Lesson 3 ●ボタンやバイアステープを使ってみよう

足つきボタンのつけ方

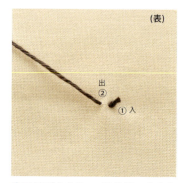

❶玉結びを作り、つけ位置の中心を表からひと針すくう。
＊手ぬい糸（2本取り）で行う。

❷もうひと針同じところをすくう。

❸糸をボタンの足の穴に通し、❷と同じところをすくう。

❹2〜3回、ボタンの穴に糸を通しぬいつける。糸を引き、ボタンの位置を固定する。布をひと針すくう。

❺針を刺したまま、糸足（根元）に糸を巻きつける。

❻糸足の近くで玉どめする。

❼布の裏側に糸を出して切る。

❽足つきボタンがついた。

くるみボタンの作り方①

市販のキットを使用

使うもの
- 好みの布
- 円の型紙
- くるみボタンのキット

＊くるみボタンのキットにはプラスチック製の、足がついている本体と布地どめが含まれています。

❶キットの直径に合うサイズに布地をカットし、周りをぐしぬいする。

❷足がついている方を上にして、❶の中心に置く。

❸糸を引いて、ぐしぬいを絞る。

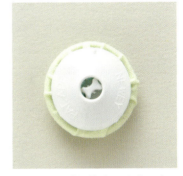

❹糸を切り、「布地どめ」を❸の上に置く。

❺布地どめを押してはめ込む。

❻くるみボタンができた。

❼足つきボタンと同じつけ方でつける。

Lesson 3 ●ボタンやバイアステープを使ってみよう

くるみボタンの作り方②

家にあるもので

使うもの
- 好みの布
- 円の型紙
- 穴あきボタン
- キルト芯

＊この方法で、服のボタンを取り外さずにくるみボタンにすることもできます。

❶ 使うボタンの直径の2倍に布地をカットし、周りをぐしぬいする。

❷ 使うボタンの直径と同じサイズにカットしたキルト芯を、❶の中心に置く。

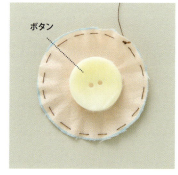

❸ ボタンをキルト芯の上に置く。

❹ 糸を引いて、ぐしぬいを絞る。

❺ 絞り口をぬい止める。

❻ 放射線状に糸を渡し、玉どめする。

❼ 布の出っ張り部分を利用して足つきボタンと同様にぬいつける。

マグネットホック(金属製)

バッグの口などに使われる、金属製のマグネットタイプの留め具。既製品のようなしっかりとした仕上がりに見えます。
ぬいつけタイプなので、作品ができ上がってから後づけすることもできるため、好みの位置に調整したいときにも便利。
ある程度重さがありますので、薄地に使う場合は芯地などで補強を行うようにしましょう。

＊金属製によくある「ツメタイプ」はつけ方が異なり、後づけもできないため、購入時には要注意。

つけ方

❶玉結びを作り、つけ位置の中心を表からひと針すくう。穴の内側から針を出し、外側に針を入れてひと針すくう。
＊凸側を、開け閉めするときに動かす方の布地にぬいつける。
＊ぬい目がわかりやすいように裏から出しています。

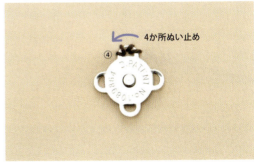

❷同様に3〜4回くり返し、留め具の穴を端までぬい止める。端までぬったら針を布の裏に入れる。

❸布の裏側をくぐらせ、2つ目の穴に針を出す。❷をくり返し、4つ目の穴の裏で玉どめする。

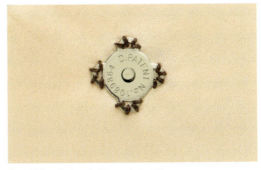

❹マグネットホックがついたところ。

マグネットホック（プラスチック製）

プラスチック製で軽いため、薄地にも芯地なしで使えるマグネットタイプの留め具。既製品の布小物や本書のバッグなどにつける場合は、こちらがおすすめ。

作品ができ上がってから後づけすることもできるため、好みの位置に調整したいときにも便利。

後づけするときは、①マグネットの凹凸を合わせたまま、ふたになる方に凸側をぬいつける。②ふたを閉じてマグネットが当たる部分に凹側をぬいつける。という手順で行うとぴたりと合います。

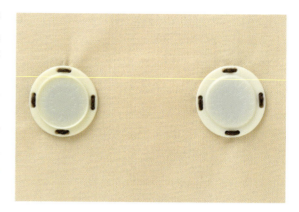

つけ方

❶玉結びを作り、つけ位置の中心を表からひと針すくう。穴に糸を渡し、ひと針すくう。
＊凸側を、開け閉めするときに動かす方の布地にぬいつける。
＊ぬい目がわかりやすいように裏から出しています。

❷同様に2〜3回ぬいつける。針を布の裏に入れる。

❸布の裏側をくぐらせ、となりの穴に針を出す。❷をくり返し、最後の穴の脇で玉どめする。

❹マグネットホックがついたところ。

スナップ(金属製/プラスチック製)

小物や洋服などをとめるのに使われるスナップボタン。金属製とプラスチック製のものとがあり、ここでは金属製のスナップのつけ方を紹介します。
素材の選び方は、袋ものなどの入れ口にはしっかりととまる金属製、ベビー服などには軽くて外しやすいプラスチック製がおすすめ。
またプラスチック製は、服の表に響かないという利点も。手ぬいの赤ちゃん服などには並ぬいでぬいつけられる「ファスナップ(プラスチックのスナップがついた布テープ)」が便利です。

＊プラスチック製のスナップのつけ方は、p.60のマグネットホック(プラスチック製)のつけ方とほぼ同じです。

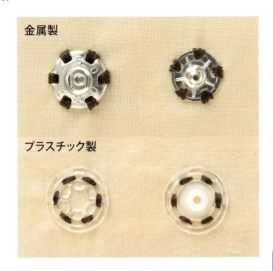

金属製のスナップのつけ方

❶玉結びを作り、つけ位置の中心の裏から糸を出し、穴の内側から針を出す。
＊凸側を、開け閉めするときに動かす方の布地にぬいつける。

❷布をひと針すくう。同様に2〜3回くり返し、ぬい止める。端までぬったら針を布の裏に入れる。

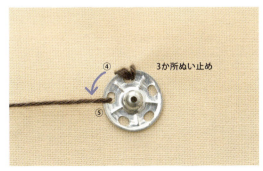

❸布の裏側をくぐらせ、2つ目の穴に針を出す。❷をくり返し、最後の穴の裏で玉どめする。

❹スナップがついたところ。

カギホック

カギホックは大きさによって用途が異なります。カギホック（大）は主に、単体でウエストベルトの留め具として使われます。カギホック（小）（スプリングホック）は、ファスナーの上の留め具や、カーディガンなどの前端をとめたりするのに使われます。ここではカギホック（小）のつけ方を紹介します。つけ位置は、ファスナーを閉めたときにすき間があかないよう、アイは布端から0.2〜0.3cm出し、フックは布端から0.2〜0.3cm内側につけましょう。表にぬい目を出さないように気をつけて。

＊重ねたときに上前にくる方（動かす方）を「フック」、下前にくる方を「アイ」といいます。

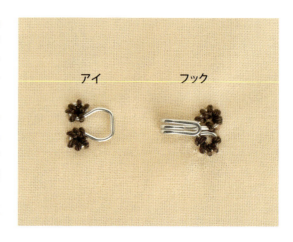

つけ方

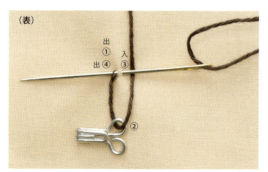

❶玉結びを作り、つけ位置の中心を表からひと針すくう。穴の内側から針を出し、布をひと針すくう。
＊ぬい目がわかりやすいように裏から出しています。

❷同様に3〜4回くり返し、留め具の穴を端までぬい止める。端まで止めたら、2つ目の穴に針を出す。

❸同様にしてぬい止め、穴の脇で玉どめする。

❹カギホックがついたところ。

ファスナー

ファスナーは「エレメント（務歯）」とよばれる開閉部の形状や素材によって、さまざまな種類があります。
本書のキャラメルポーチで使っているファスナーは、ビスロンファスナーというもの。務歯が樹脂製のため比較的軽く、務歯の存在感もあるタイプです。婦人服のスカートやワンピースの脇には、スライダー（引き手）や務歯の目立たないフラットニットファスナーやコンシールファスナーなどがおすすめ。
ファスナーは色やスライダーの形状もバリエーション豊富。長さが合えばたいていのものは使えるので、作りたい作品に合わせて選びましょう。

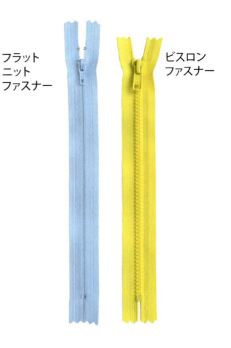

フラットニットファスナー

ビスロンファスナー

ファスナーが見えるつけ方

小物の入れ口やパーカーの前端などに使う、ファスナーが見えるつけ方です。

❶ぬいしろをでき上がり線で裏に折る。

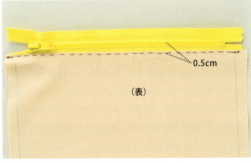

❷布端を折った布の表を、ファスナーの務歯のかみ合わせから布端までが0.5cmになるように重ね、半返しぬいする。

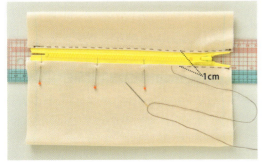

❸もう一方の布端を反対側のファスナーに同様に重ね、まち針で止める。半返しぬいする。

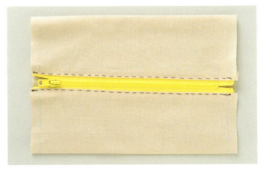

❹ファスナーが1cm幅で見えるようについたところ。

ファスナーが見えないつけ方

婦人服のスカートやワンピースなどに使われる、ファスナーが表から見えないつけ方です。
スカートに使われるときはとくに、ファスナーが開いても落ちたり、開いたりしないように上端にスプリングホックをつけることが多いです。

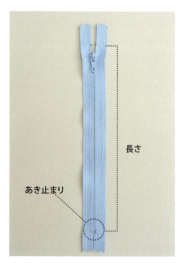

❶ 使うファスナーの上どめから下どめまでの長さを測る。

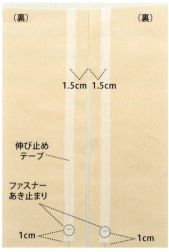

❷ 表布のでき上がり線の上に、あき止まりの1cm下まで伸び止めテープを貼る。

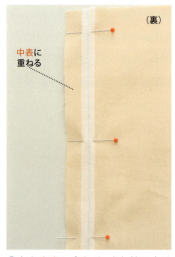

❸ 布を中表に合わせ、まち針で止める。

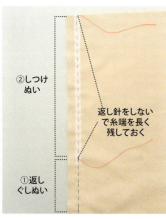

❹裾の方からあき止まりまで、でき上がり線を返しぐしぬいする。あき止まりから上まで、でき上がり線にしつけをする。

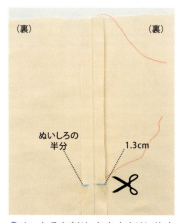

❺ぬいしろを割り、あき止まりに片方はぬいしろの幅半分の、もう片方には1.3cmの切り込みを入れる。

❻ぬいしろ半分の切り込みを入れた方のあき止まりから、下のぬいしろを幅半分にカットする。

❼1.3cmの切り込みを入れた方のぬいしろで、半分にカットした方のぬいしろをくるみ、際を並ぬいする。

❽ファスナーつけ位置のぬいしろを内側に折り込む。

❾表に返し、裏からファスナーつけ位置にファスナーを合わせる。まち針で止める。

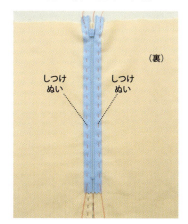

❿ファスナーをしつけぬいする。

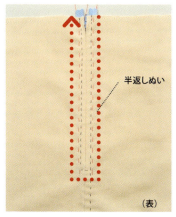

⓫表側から半返しぬいで、ファスナーをつける。

⓬しつけの糸を引き抜く。ファスナーがついた。

仕上げの付属品について

衿ぐりや袖、裾などの、仕上げに関係する付属品について紹介します。

バイアステープの種類

バイアステープとは、バイアス（ななめ）に裁った布地で作る布テープのこと。用途も幅広く便利な資材です。主に、両端を折った「両折りタイプ」、二つ折りの「ふちどりタイプ」があります。
本書の作品は、見返しとする場合も縁取りする場合も、バイアスの共布をテープメーカーで両折りタイプにして使用しています。

バイアステープの作り方

作品の表現が広がる、バイアステープの作り方を紹介。
作品の共布やお気に入りの布地の余り布などで作ってみてください。

1 バイアス布を作る

❶布地を用意する。

❷角を合わせて、対角に折る。折り山にしっかり爪アイロンをかける

❸布を開き、裏に対角線を引く。

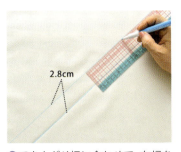

! バイアステープと布幅

テープメーカーを使って、バイアステープを作るときの寸法です

でき上がり幅	バイアス布の幅
1.2cm幅	2.8cm
1.8cm幅	4cm
2.5cm幅	5.2cm

❹でき上がり幅に合わせて、布幅を決める。❸の線に平行に線を引く。
＊写真は1.2cm幅のバイアステープを作る場合。

❺同様にして、同じ布幅で線を引いていく。

❻印どおりに布地を裁つ。

❼バイアス布ができた。

Lesson 3 ●ボタンやバイアステープを使ってみよう

2 はぎ合わせる

❶バイアス布の長さが、必要分より短い場合は、複数のバイアス布をはぎ合わせる。

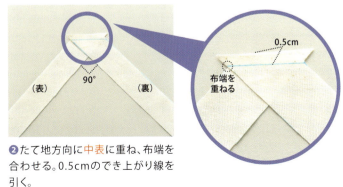

❷たて地方向に中表に重ね、布端を合わせる。0.5cmのでき上がり線を引く。

❸でき上がり線を並ぬいする。

❹ぬいしろを割る。

❺テープ幅からはみ出したぬいしろをカットする。

3 折り目をつける

❶必要な長さより長めのバイアス布を用意する。

＊テープメーカーがない場合はバイアス布を半分に折り、アイロンをかける。折り目に布の両端を沿わせ、アイロンで折り目をつけます。

❷作りたい幅のテープメーカーに、バイアス布の裏を上にして通す。後ろ側から針で口まで送る。

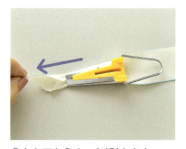

❸布を口からゆっくり引き出す。

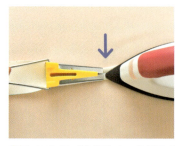

❹アイロンで、折り目にしっかりアイロンをかける。

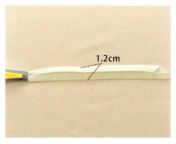

❺少しずつ引き出しながら、アイロンで折り目をつけていく。

バイアステープの使い方①

両折りタイプのバイアステープを、衿ぐりやノースリーブの袖ぐりなどの見返しとする方法です。
柄ものの布の作品は共布で作ればしっくりなじみ、無地の作品は柄ものや異なる色などで作ればアクセントになります。

＊レースの布地には、色を合わせたガーゼのバイアステープを使います。

縁を折り返す

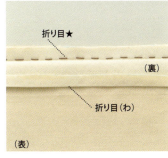

❶バイアステープの片方の折り目を開き、布端と中表に合わせる。開いた折り目の上を並ぬいする。

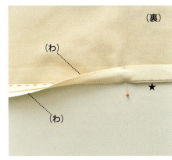

❷バイアステープを❶のぬい目（★）で裏に折り返し、まち針で止める。

❸バイアステープの際を並ぬいする。

❹バイアステープをぬいつけたところ。

❺表にバイアステープは出ず、❸の並ぬいのぬい目が1本出る。

バイアステープの使い方②

両折りタイプのバイアステープで、ぬいしろをくるんで、縁取りする方法です。表にバイアステープをぬいつけたぬい目が現れず、きれいに仕上がります。
バイアステープの色柄は作品の雰囲気に合わせて選びましょう。

＊市販の「ふちどりタイプ」のバイアステープは、つけ方が異なります。

縁をくるむ

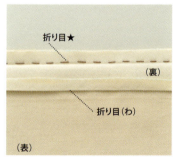

❶バイアステープの片方の折り目を開き、布端と中表に合わせる。開いた折り目の上を並ぬいする。

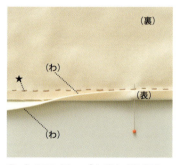

❷バイアステープを裏に折り返し、布端をくるむ。バイアステープの折り目（わ）を、❶のぬい目（★）に合わせてまち針で止める。

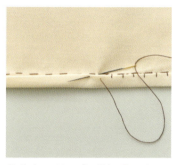

❸バイアステープの端と、❶のぬい目（★）の下をぬいしろだけすくって、たてまつりする。

❹バイアステープをぬいつけたところ。

❺布端がバイアステープで縁取りされている。表にぬい目は出ない。

ゴムテープの種類

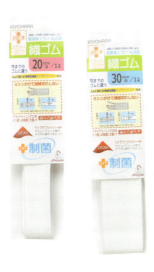

織ゴム（ウエストゴム）

平たいテープ状のゴムで、たて糸と芯ゴムをよこ糸で織ったものを「織ゴム」といいます。
しっかりとしたホールド感があり、スカートやパンツなどのウエストに使われることが多く、ウエストゴムともよばれます。
1.5～3cmと比較的幅広で、ウエストのぬいしろや使用する布地の量（重さ）に合わせて選びます。

ソフトゴム

下着やパジャマなどに使われる、締めつけないゴムです。
平たく、表面に畝があるテープ状のゴムで、組みゴム（コールゴム）ともいいます。
0.3～1.5cm幅の細いものが多く、幅は「コール」とよばれる芯ゴムの本数で表されます。
コールゴムは、子どもの帽子のひもやマスクのひもなどにも使われます。

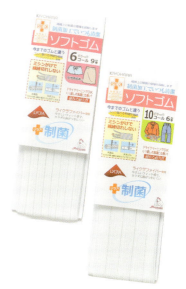

❗ ゴムテープが切れたときは…

ゴムテープが中で切れてしまったときは、使われていたゴムテープをゴムテープ通し口（通常後ろ側の背中心の近くにある）から引き出し、同じ幅のものを入れましょう。
代わりのゴムテープを買うとき、抜いたゴムテープの端を一部持って行くと、間違えずに購入できます。

ソフトゴムの使い方①

ソフトゴムを使って、作品の袖や裾の表情を変えてみましょう。

ウエストにゴムテープを通すときと同じように、並ぬいで作ったゴムテープ通し口にソフトゴムを通すだけで簡単にシャーリングができます。

＊使用するゴムは子ども用パンツの裾の場合、0.5cm幅のものを100cmサイズは22cm、110cmサイズは24cm、120cmサイズは26cmをそれぞれ左右1本ずつ（計2本）。
おとな用トップスの袖の場合は、0.8cm幅のものをMサイズは23cm、Lサイズは24cm、LLサイズは25cmをそれぞれ左右1本ずつ（計2本）使います。

三つ折り仕上げのシャーリング

＊子ども用パンツの裾の場合

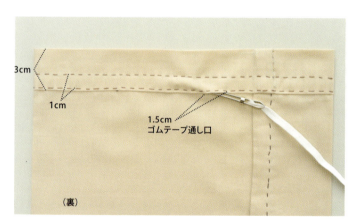

❶ 裾を三つ折りし、ぬいしろの際を並ぬいする。股下や脇線の近くにゴムテープ通し口を作るため、1.5cmほどぬいしろだけぬう。そのぬい目の1cm上を1周並ぬいする。
ゴムテープに、必要な長さのところで印をつけ、まち針を打つ。ゴムテープ通し口から通す。

❷ バランスよくシャーリングするようにたぐり寄せながらゴムテープを通し、ゴムテープの端を1cm重ねる。
半返しぬいで、重ねた部分のゴムテープを1か所ぬい、ゴムテープ通し口に引き込む。

ソフトゴムの使い方② バイアステープと

身頃のウエストなどの中間部分に、バイアステープでゴムテープ通し布を作り、ソフトゴムを通すとゴムシャーリングさせることができます。
胸下や腰など、シャーリングさせる部位はお好みで。

＊使用する材料は0.5cm幅のソフトゴムと、1.2cm幅の両折りタイプのバイアステープ。身頃のウエストの場合、ソフトゴムは17cm、バイアステープは24cm使用（1か所）。ギャザーをもっと寄せたい場合は、ソフトゴムの長さを短くして調整します。

中間部のシャーリング

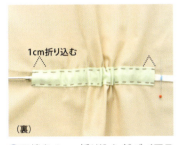

❶両端を1cm折り込んだバイアステープを、シャーリングさせたいところの裏側に並ぬいでぬいつける。ゴムテープに、必要な長さのところで印をつけ、まち針を打つ。ゴムテープ通し布に通す。

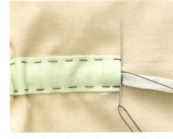

❷通し布の際で、ゴムテープに印をつけたところを半返しぬいする。

❸片側のゴムテープを引き、ギャザーを寄せる。通し布の端に合わせて半返しぬいでぬい止める。

❹ゴムテープの端をカットする。

❺表から見たところ。

ひもの通し方

きんちゃく袋の口などに、ひもを通すときは「ひも通し」を使います。

❶ひも通しを用意する。

❷ひも通しの輪にひもを通す。頭の方を通し口に入れる。

❸布をたぐり寄せながらひもを通し、反対側の口から出す。

❹ひも端をそろえ、ひと結びする。

Lesson 4

手ぬいのよさを満喫！
小物や洋服を作ってみよう

簡単な小物から、ぬうところが短い子ども服、
1枚裁ちのおとな服、ほどかないきものリフォームまで
はじめてチャレンジする人でも満足のいく作品の
作り方をわかりやすい写真で解説します。

作り方:p.84

キャラメルポーチ

キャラメル包みのようなシルエットのポーチ。
ほんの少しぬうだけなのに、驚くほど立体的に!
入れ口も大きくて収納力もバツグンです。

作り方:p.88

リゾートバッグ

丸みがやさしげな雰囲気の、くたっとしたリゾートバッグは
小さく折りたたんで持ち運びができます。
リバーシブルで使えるデザインなので、
お気に入りの布を組み合わせてみて。

作り方:p.92

子ども用パンツ

子どもが自分で脱ぎ着できる、ウエストゴムのパンツです。
男の子も女の子も着やすいデザインで仕立てました。
裾にステッチを入れたり、ゴムテープを入れてアレンジしたりしても◎。

作り方:p.96

1枚裁ちの おとな用フレアスカート

1枚裁ちの半円の形で作る、上品なミモレ丈のフレアスカート。布地の取り方から生まれる、美しい落ち感がすてき。1着作ってみてほしい作品です。

作り方:p.98

1枚裁ちの
おとな用トップス

カラフルな花柄が目を引き、
かわいらしい印象に。
ゆったりとしたドルマンスリーブの
トップスも、1枚裁ちで作れます!

作り方:p.101

1枚裁ちの
おとな用トップスのバリエーション

p.79のスカートとセットアップで着られるよう、
同じリネンの素材で風合いをそろえた
1枚裁ちのトップスです。
スカートの裾のステッチと同じステッチ糸で、
衿ぐりと袖、裾にステッチを入れています。

作り方：p.106

きものリフォーム ジャケット

ざっくりとしたハリのある木綿のきものから作る、ノーカラージャケット。
もとの形を生かす"ほどかない"きものリフォームは、目からうろこのワザ！

作り方：p.112

きものリフォーム
ティッシュケース

ジャケットに仕立てたきものから外した「おくみ」。
その長〜い布地を折りたたんで作る、ティッシュケースです。
フタがポケットになっているので、小物を入れるのにも便利。
＊「おくみ」はp.102「各部の名称」を参照ください。

キャラメルポーチ

でき上がりの大きさ(cm) ▷ たて14×よこ8×高さ7.5　　作品：p.76

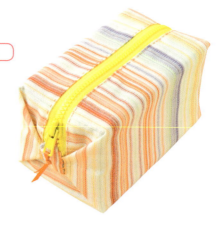

材料
- 表布(綿・ストライプ)　32×35cm
- 裏布(綿・ブロックチェック)　25×35cm
- 20cmファスナー　1本
- 0.3cm幅リボン　15cm
- シャッペスパン手ぬい糸

裁ち方図

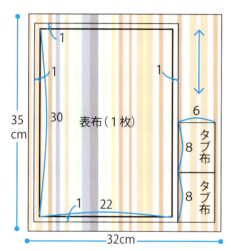
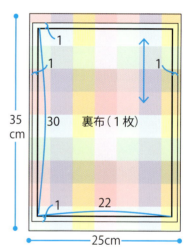

1 印をつけて裁つ

裁ち方図どおりに、布地にぬいしろをかいて裁つ。

＊作り方ではわかりやすいように、タブ布を裏布(青い布)で作っています。

2 ぬいしろを折る

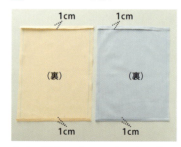

表布・裏布の上下のぬいしろを1cmずつ、爪アイロンで裏に折る。

3 表布にファスナーをつける

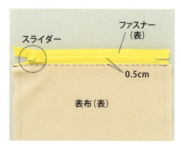

❶ファスナーに表布を重ね、ファスナーの中心から0.5cmのところを半返しぬいする。スライダー側のテープ端は、表布の布端に入れ込むようにしてぬいつける。

キャラメルポーチ

4 表布・裏布を重ねてぬう

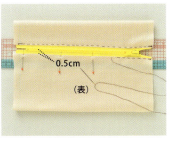

❷表布のもう一方の端に反対側のファスナーを重ね、まち針で止める。半返しぬいする。
＊このとき、輪になった布の間に定規を入れておくと、底までぬう心配がありません。

❸表布にファスナーがついた。

❶表布を裏に返す。

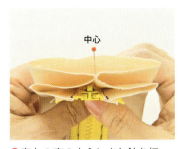

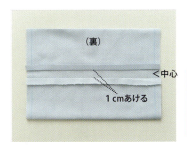

❷表布の底の中心にまち針を打つ。ファスナーの中心と底の中心を合わせ、輪になった表布の両端を突き合わせるように折りたたむ。

❸両端をまち針で止める。

❹裏布は上下のぬいしろの間を1cmあけて、わにする。❷と同様に折りたたんで両端をまち針で止める。

❺表布と裏布を折りたたんだところ。

❻裏布の入れ口と、表布の入れ口を合わせて重ねる。

❼まち針を打ち直し、表布と裏布を止める。

Lesson 4 ●小物や洋服を作ってみよう

5 裏布の口をまつる

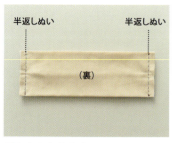

❽表布と裏布を半返しぬいで、ぬい合わせる。
＊反対側まできちんと針が通っているか確認しながらぬいましょう。

❶ファスナーを開く。

❷裏布の入れ口側から表に返す。

❸表に返し、形を整える。

❹裏布とファスナーの端をたてまつりする。

❺表に返す。

本体ができた！

6 タブを作る

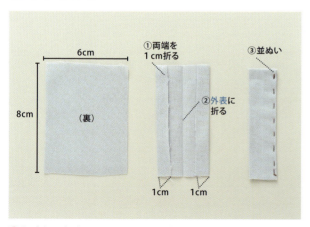

❶タブ布の左右をそれぞれ1cm裏に折り、二つ折りする。端を並ぬいする。

❷タブ布の下側を1cm折る。輪にするように中心で折る。

7 タブをつける

❸まち針で止める。同様にしてもう1つ作る。

❶ファスナーのあき止まりの部分にできる穴を隠すように、本体の側面にタブをのせる。

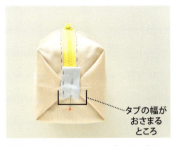

❷側面の三角まちとタブの幅がそろうところで、まち針で止める。

❸タブの周囲4か所をたてまつりでぬい止める。内側(ファスナー側)は、すくうようにぬう。反対側も同様にタブをつける。

8 リボンを結ぶ

スライダーの端にリボンを通してひと結びし、端をななめにカットする。

完成！

リゾートバッグ

でき上がりの大きさ（cm）▷ たて33×よこ（入れ口）37.5　作品：p.77

材料

- 表布（綿・花柄）110cm幅　80cm
- 裏布（綿・先染めチェック）110cm幅　40cm
- 2.5cm幅接着ベルト芯　36cm×2本
- シャッペスパン手ぬい糸
- 手ぬいステッチ糸

裁ち方図

【型紙A面】

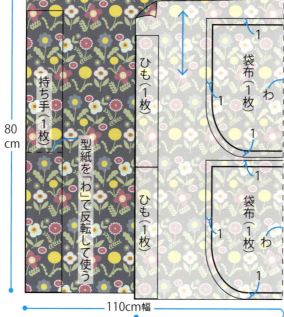

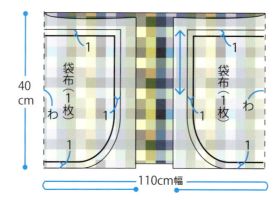

1 印をつけて裁つ

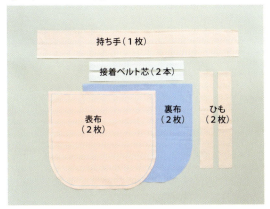

裁ち方図どおりに、布地を裁つ。表布にでき上がり線を引く。裏布(表)に持ち手つけ位置とひもつけ位置の印をつける。

2 裏布に接着ベルト芯を貼る

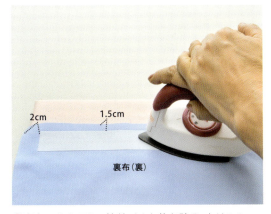

❶裏布の入れ口に、接着ベルト芯を貼る。上は1.5cm、左右は中心で合わせ2cmあける。

3 袋布をぬう

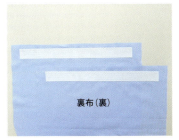

❷同様にもう1枚に接着ベルト芯を貼る。

❶表布の入れ口のぬいしろを1cm、爪アイロンで裏に折る。

❷同様にもう1枚も折り、表布同士を中表に重ねる。

❸裏布も接着芯の上を1cm折り、裏布同士を中表に重ねる。

❹中表にしたまま、表布と裏布を重ねる。

❺まち針で止める。

❻表布と裏布を返しぐしぬいで、ぬい合わせる。

カーブを丸くきれいに仕上げるポイント!

❼カーブしている部分のぬいしろに、V字形の切り込みを入れる。

❽もう片側にも切り込みを入れる。

❾表布から表に返す。

❿形を整える。中表になっている裏布を開き、表布と裏布の入れ口のぬいしろを合わせる。

⓫表に返った。

4 持ち手を作る

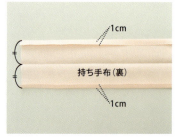

❶持ち手布の両端を1cm、裏に折る。

❷中心で半分に折る。

ステッチ糸で

❸折り重ねた方の布端の際を、手ぬいステッチ糸で並ぬいステッチする。わの方にも並ぬいステッチする。

5 ひもを作る

❶ ひも布の両端を中心で合わせて折る。左側の端を1cm折る。

❷ 中心で半分に折る。

❸ 1cm折った方から布端の際を、手ぬいステッチ糸で並ぬいステッチする。もう1本は右側を1cm折り、同様に並ぬいステッチする。

6 持ち手・ひもをつける

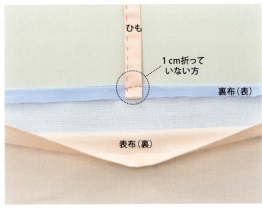

裏布のぬいしろに、持ち手とひもをぬい止める。ひもは1cm折っていない方をさし込む。持ち手はねじれないように両端をぬい止める。

7 入れ口をぬう

❶ 表布と裏布の入れ口のぬいしろを外表の状態で、それぞれまち針で止める。

＊4枚一緒に止めないように注意！

❷ 玉どめが表に出ないよう、ぬいしろから針を入れる。入れ口の際を手ぬいステッチ糸で1周並ぬいステッチし、ぬい合わせる。

完成！

子ども用パンツ

作品：p.78

でき上がりの大きさ（cm）
100cm用 ▷ 股下22　　110cm用 ▷ 股下27　　120cm用 ▷ 股下32
＊その他の寸法はp.22参照

材料

＊数字は左から100／110／120cmサイズ
- 表布（綿・ギンガムチェック大）110cm幅　50／60／65cm
- ポケット布（綿・ギンガムチェック小）　15×15／15×15／20×20cm
- 1.5cm幅ウエスト用ゴムテープ　44／46／48cm
- シャッペスパン手ぬい糸

裁ち方図
【型紙A面】

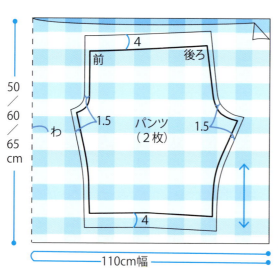
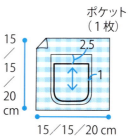

1 印をつけて裁つ

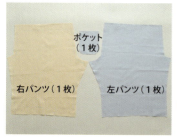

裁ち方図どおりに、布地にぬいしろをかいて裁つ。右パンツ（表）にポケットつけ位置の印をつける。

＊作り方ではわかりやすいように、パンツの色を左右異なる色で作っています。

2 ポケットを作る

❶ ポケットのカーブ部分のぬいしろをぐしぬいする。ぬい始めとぬい終わりは針を返さず、ぬい終わりの糸端を長く残しておく。

❷ 厚紙で作ったポケットの型紙を、布の裏にでき上がり線で合わせる。ぐしぬいを絞り、カーブの形を作る。

子ども用パンツ

3 ポケットをつける

❸アイロンの先でカーブの形をくずさないように押さえ、形を整える。もう片側も同様にカーブを作る。

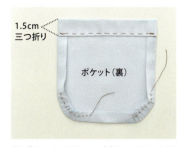

❹ポケット口を三つ折りし、ぬいしろの際を並ぬいする。

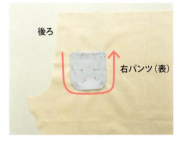

右パンツの表に、ポケットを並ぬいでぬいつける。

4 股上を折り伏せぬいする

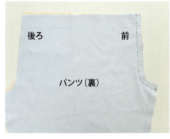

❶パンツを中表に合わせて、前パンツ側の股上を布端から布端まで返しぐしぬいする。

❷上の1枚のぬいしろを、幅半分にカットする。

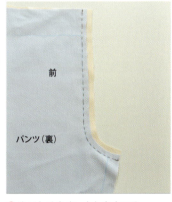

❸ぬいしろをカットしたところ。

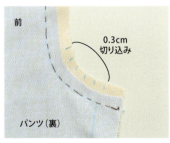

❹カーブしている部分のぬいしろに、切り込みを入れる。

❺ぬい合わせたパンツを開く。股上のカットした方のぬいしろを、もう一方のぬいしろでくるむ。

❻ぬいしろをカットした側に倒す。まち針で止める。

Lesson 4 ● 小物や洋服を作ってみよう

❼ぬいしろの際を並ぬいする。

後ろ側はぬいしろ部分はぬわない

❽後ろパンツ側の股上は、ウエスト側の布端からぬいしろまで返しぐしぬいする。

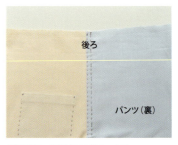

❾同様に折り伏せぬいする。

5 股下を折り伏せぬいする

前パンツと後ろパンツの股下を重ね、折り伏せぬいする。後ろパンツのぬいしろをカットし、倒す。

6 裾を三つ折り仕上げする

❶パンツの裾を三つ折りにしていく。

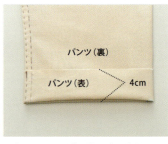

❷裾をでき上がり線で裏に折る。

❸裾の布端を1cm内側に折り込む。裾が三つ折りになった。

❹ぬいしろの際を1周並ぬいする。同様にもう一方も三つ折り仕上げする。

表に返すと…

❺三つ折り仕上げした裾を、表から見たところ。

子ども用パンツ

7 ウエストをぬい、ゴムテープを通す

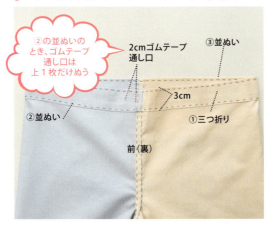

②の並ぬいのとき、ゴムテープ通し口は上1枚だけぬう

2cmゴムテープ通し口　③並ぬい

3cm

②並ぬい　①三つ折り

前（裏）

❶ウエストを三つ折りし、ぬいしろの際を並ぬいする。後ろパンツの中心はゴムテープ通し口を作るため、2cmほどぬいしろだけぬう。ウエストの上端も並ぬいする。

44・46・48cm

❷ゴムテープは必要な長さのところに印をつけ、まち針を打つ。ゴム通しではさむ。

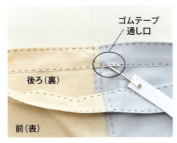

ゴムテープ通し口

後ろ（裏）

前（表）

❸ゴムテープを通し口から入れる。

❹たぐり寄せながらゴムテープを通していく。

ここまで通す

❺ゴムテープが通ったところ。まち針を打ったところでゴムテープを切り、ゴムテープの端を1.5cm重ねる。

1.5cm

❻半返しぬいでゴムテープをぬい止め、ゴムテープ通し口に引き込む。

完成！

Lesson 4 ●小物や洋服を作ってみよう

1枚裁ちの おとな用フレアスカート

作品：p.79

でき上がりの大きさ（cm）
- Mサイズ ▷ スカート丈62.5
- Lサイズ ▷ スカート丈64.5
- LLサイズ ▷ スカート丈66 ＊その他の寸法はp.22参照

材料
＊数字は左からM／L／LLサイズ
- □ 表布（リネン・無地）140cm幅　200／210／220cm
- □ 2cm幅ウエスト用ゴムテープ　66／72／78cm
- □ シャッペスパン手ぬい糸
- □ 手ぬいステッチ糸

裁ち方図
【型紙A面】

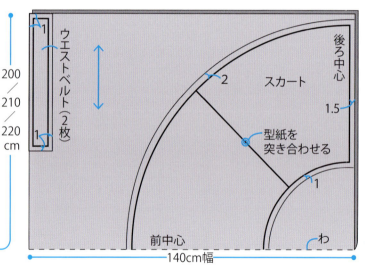

＊110cm幅の布でも作れます。

1 印をつけて裁つ

裁ち方図どおりに、布地にぬいしろをかいて裁つ。
＊作り方がわかりやすいように、ウエストベルトを異なる色で作っています。

2 後ろ中心を袋ぬいする

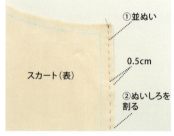

❶スカートを外表に合わせて、後ろ中心の布端から0.5cmのところで並ぬいする。ぬい目を爪アイロンで割る。

❷中表に合わせ直し、でき上がり線を返しぐしぬいする。

3 ウエストベルトを作る

❶ウエストベルトを中表に合わせ、左右を返しぐしぬいする。

❷ぬいしろを割る。

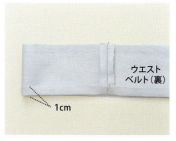

❸ウエストベルトの下端をでき上がり線で裏に折る。

4 ウエストベルトをつける

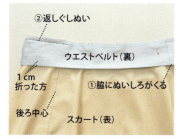

❶後ろ中心のぬいしろを片側に倒す。ウエストベルトのぬいしろが脇にくるようにし、スカートと中表に合わせる。上端を返しぐしぬいする。

❷スカートを裏に返す。❶のぬいしろをウエストベルト側に倒す。

❸ウエストベルトを外表に二つ折りし、まち針で止める。

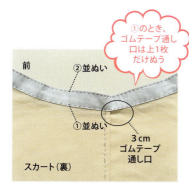

❹ぬいしろの際を並ぬいする。後ろ中心はゴムテープ通し口を作るため、3cmほどぬいしろだけぬう。ウエストベルトの上端を並ぬいする。

5 裾をぬい、ゴムテープを通す

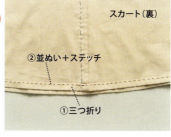

裾を三つ折り仕上げする。ウエストベルトにゴムテープを通し、端を2cm重ねて半返しぬいする。表に返し、スカートの裾に手ぬいステッチ糸で並ぬいステッチする。

＊三つ折り仕上げの仕方はp.49参照。

完成！

1枚裁ちの
おとな用トップス

作品：p.80

でき上がりの大きさ（cm）
- Mサイズ ▷ 着丈55×袖丈14
- Lサイズ ▷ 着丈55.5×袖丈13
- LLサイズ▷ 着丈56×袖丈12.5 ＊その他の寸法はp.22参照

材料
＊数字は左からM／L／LLサイズ
- □ 表布（綿・花柄）110cm幅　170／180／180cm
- □ シャッペスパン手ぬい糸

裁ち方図
【型紙B面】

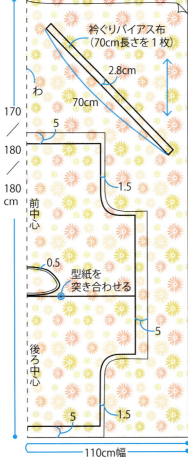

1 印をつけて裁つ

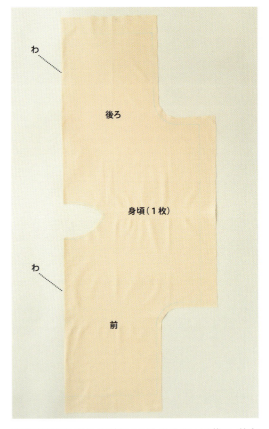

裁ち方図どおりに、布地にぬいしろをかいて裁つ。共布で1.2cm幅のバイアステープを作る（p.66〜68参照）。
＊作り方がわかりやすいように、バイアステープを異なる色で作っています。

おとな用トップス

2 衿ぐりをぬう

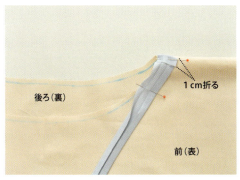

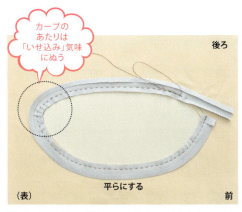

❶身頃の前後の裾をそろえ、外表に合わせる。バイアステープの端を1cm折り、肩から衿ぐりの裁ち端と中表で合わせ、まち針で止める。

❷バイアステープの折り目の上を並ぬいして身頃にぬいつける。前身頃の衿ぐりが平らになるように、カーブでバイアステープを調整する。

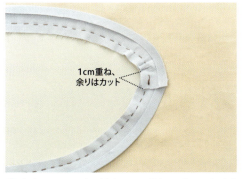

❸バイアステープの端を1cm重ねてぬい、余りはカットする。

❹カーブしている部分に、ぬい目を切らないように切り込みを入れる。

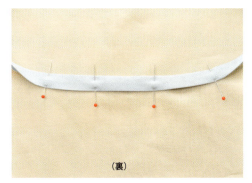

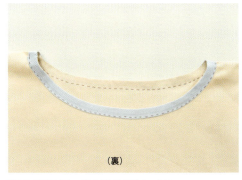

❺身頃を裏返す。バイアステープをぬい目から身頃の裏側に折り返し、まち針で止める。

❻バイアステープの際を並ぬいする。

Lesson 4 ● 小物や洋服を作ってみよう

3 脇を袋ぬいする

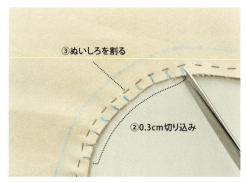

❶袖下を外表に合わせて、布端から0.5cmのところを並ぬいする。

❷カーブしている部分に、ぬい目を切らないように切り込みを入れる。爪アイロンでぬいしろを割る。

4 袖口をぬう

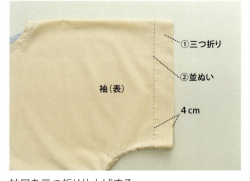

❸中表に合わせ直し、でき上がり線を返しぐしぬいする。ぬいしろを後ろ身頃側に倒す。

袖口を三つ折り仕上げする。
＊三つ折り仕上げの仕方はp.49参照。

5 裾をぬう

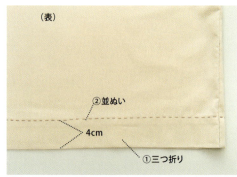

裾を三つ折り仕上げする。

完成！

1枚裁ちの おとな用トップスの バリエーション

作品：p.81

シンプルな無地の布やシックな布で仕立てたとき、表から並ぬいステッチをしてアクセントに！
レースなどをぬいつけるのもよいでしょう。

●●●● 並ぬいステッチをする ●●●●

ステッチを
プラス！

材料

＊数字は左からM／L／LLサイズ
□ 表布（リネン・水玉）110cm幅
　170／180／180cm
□ シャッペスパン手ぬい糸
□ 手ぬいステッチ糸

＊本ぬいをする手ぬい糸は、ぬい目が目立たない色を選びましょう。

衿ぐり

（表）

❶ 表から衿ぐりのバイアステープのぬい目の上を、手ぬいステッチ糸で並ぬいステッチする。

袖

（表）

❷ 表から袖の三つ折り仕上げのぬい目の上を、手ぬいステッチ糸で並ぬいステッチする。

裾

（表）

❸ 表から裾の三つ折り仕上げのぬい目の上を、手ぬいステッチ糸で並ぬいステッチする。

Lesson 4 ● 小物や洋服を作ってみよう

きものリフォームの前に

きものリフォームの前に知っておきたい、きものの基本を解説します。
きものを選ぶとき、きものリフォームの参考にしてください。

どんなきものが扱いやすい？

ほどかないきものリフォームは、もとの形やぬい目を生かして作るので、自分のサイズに合った、状態のよいきものを選びましょう。針通りがよくてぬいやすい素材の、ぬいしろがていねいにぬい止めてある単衣のきものがおすすめ。ぬう部分が少なく、きれいに仕上がります。

> **ほどかない** きものリフォームにおすすめ
>
> ・単衣のきもの
> 単衣とは、胴裏や八掛がなく、表布のみで仕立てられているきもの。袷は裏布つきです。
>
> ・素材など
> 薄地や普通地で、試しぬいをしてぬいやすい素材。色落ちしてしまうものは避けましょう。

各部の名称

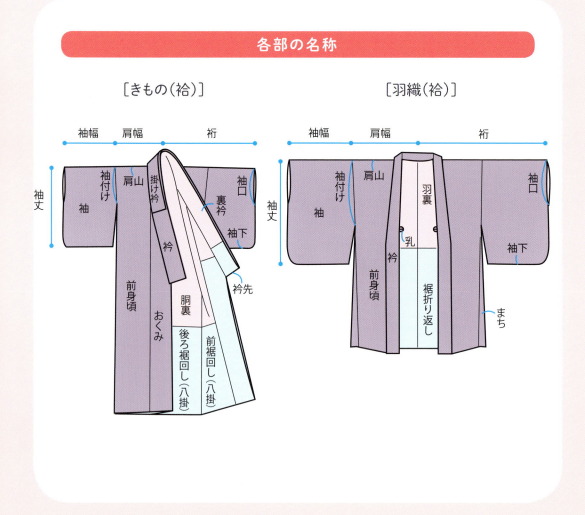

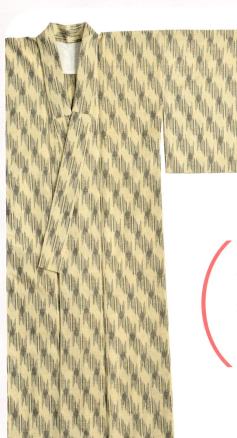

きものの生かし方

ほどかず生かす

きものの形をそのまま生かせば、裾の部分はタイトなシルエットのスカートに、上の部分は洋服の身頃に使うことができます。素材や丈感などに合わせて、作品に仕立てましょう。

例えば
- **上半分…ジャケット**
  作り方→p.106
- **下半分…スカートなど**
  衿を外した後、おくみをつけたままスカート布に。ウエスト布は掛け衿から作る。
- **おくみ…ティッシュケース**
  作り方→p.112

きもの1枚から何が作れる？

布として生かす①
布幅と耳を生かす

きものの身頃や袖はほどくと、36cm幅の反物と同じ大きさになるものがほとんど。この両端（耳）はほつれないため、ここをぬいしろに使えばぬいしろを始末しなくてすみます。

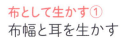

布として生かす②
背ぬいを生かす

きもの地を大きく使いたいときは、背ぬい（後ろ中心）をほどかず、後ろ身頃を1枚の布として使います。約150×70cmくらいの布に！

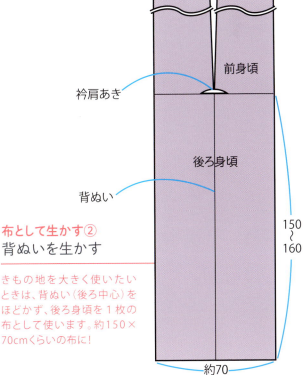

前身頃

衿肩あき

後ろ身頃

背ぬい

150〜160

約70

Lesson 4 ● 小物や洋服を作ってみよう

ほどき方

きものをほどくときは、最初に衿から外します。
それから作品に応じて、袖→おくみ→脇→背ぬいの順に、
小さいパーツから外します。

糸切りばさみで

1 全体を確認する

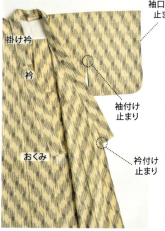

掛け衿／衿／おくみ／袖口あき止まり／袖付け止まり／衿付け止まり

きものを広げ、ほどく部分を確認する。

2 衿を外す

衿付け止まり

❶最初に衿を外す。裏側の衿付け止まりの近くのぬい目を引っ張り、ほどきやすいところを見つける。

❷布を傷めないように、にぎりばさみ（糸切りばさみ）を使って糸を切る。

❸糸を切ったぬい目を、自然に開くところまで左右に広げる。広がらなくなったら、そこをぬっている糸を切る。

❹衿の角までほどき、衿付け止まりの部分をほどく。

袖付け止まり

❺ぬい目をもむようにして糸をゆるめながら、少しずつ切る。

＊付け止まりやあき止まり、身八つ口などの力がかかりやすく破れやすい部分は、「かんぬき止め」がされています。

ほどいた寸法の目安

きものをほどいたときの布地の標準的な寸法を、右のイラストで解説しています。きものリフォームやきもの地を使った作品作りの参考にしてください。

きものの丈は、作られた時代によって流行や仕立てによるちがいがあります。手持ちのきものの寸法や好みに合わせてアレンジして、きものリフォームを楽しんでください。

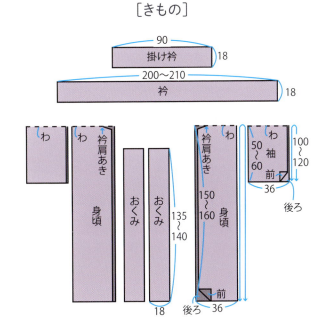

❗ きものを裁ったら…

布に表・裏の印をつけましょう。

布地に合った設定でアイロンをかけ、平らな布にします。その際、汚れや折り目を確認し、その部分をぬいしろにするなど作品に仕立てるときの見当をつけておくとよいでしょう。

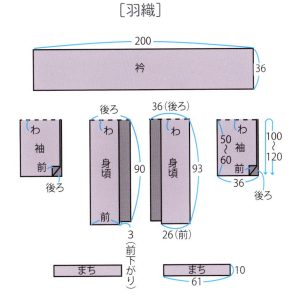

ほどかない！きものリフォームジャケット

作品：p.82

でき上がりの大きさ（cm）　Mサイズ▷着丈64.5
＊袖丈の寸法はもとのきものの寸法によって異なる。

材料
- 単衣のきもの　1枚
- シャッペスパン手ぬい糸
- ボタン　1個

＊作品では2.8cmのボタンを使用

1 印をつけて裁つ

【型紙B面（衿ぐりのみ）】

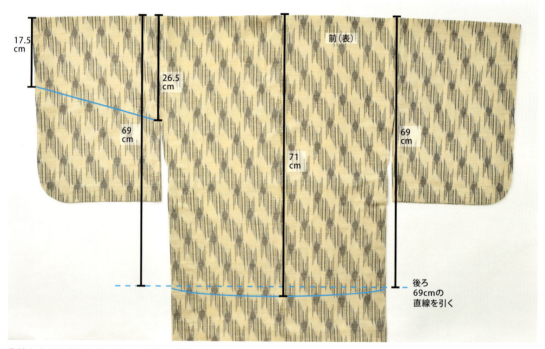

❶衿とおくみを外したきものの表に、裁ち線をかく。
後ろは背中心のところで69cmを測り、左右の脇線まで直線でつなぐ。脇線にしっかり印をつけておく。
前端を合わせ、71cmのところで印をつける。それぞれの脇線に向かって自然に前下がりとなるように線を引く。
片側の袖口17.5cmのところに印をつけ、袖のつけ根26.5cmのところと直線でつなぐ。

＊ぬいしろ込み。

ジャケット

❷裁ち線をかいた方の袖を直裁ちする。

2枚一緒に裁つ

❸裁ち線の内側をまち針で止める。袖下の前後2枚を一緒に裁つ。

袖下を使う

❹切り離したところ。もう片方の袖に切り離した袖下を反転して重ねる。

①反転して置き、まち針を打つ
②裁つ

❺ずれないように袖下を4枚一緒にまち針で止める。裁ち端に沿って、袖下を裁つ。

ループとバイアステープを裁つ

❻切り離したところ。袖下からループとバイアステープを裁つ。

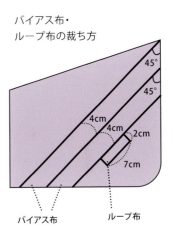

バイアス布・ループ布の裁ち方

バイアス布　ループ布

2 衿ぐりを裁つ

背ぬいしろ
後ろ(裏)
肩線
前(裏)
背ぬいしろと同寸のぬいしろ

❶後ろ中心で身頃を中表に合わせる。肩線と後ろ中心に合わせて、型紙をまち針で止める。型紙どおりにでき上がり線をかき写し、型紙を外す。

❷型紙を反転し、反対側の身頃にまち針で止める。同様にでき上がり線をかき写す。

0.5cm

❸でき上がり線の内側0.5cm下のところを並ぬい(下ぬい)する。

Lesson 4　●小物や洋服を作ってみよう

3 補強ぬいをする

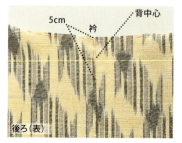

❶衿ぐりのぬい目から、背中心のぬいしろ側の際を5cm表から並ぬい（補強ぬい）する。

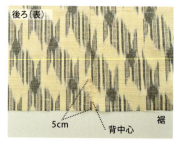

❷裾も背中心の際を5cm、表から並ぬい（補強ぬい）する。

❹でき上がり線の上を裁つ。

4 袖下をぬう

❸両脇のぬい目の際を5cm、表から並ぬい（補強ぬい）する。

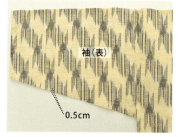

❶袖下を外表に合わせて、布端から0.5cmのところで並ぬいする。

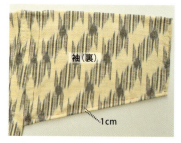

❷裏に返して中表に合わせ、布端から1cmのところで返しぐしぬい（袋ぬい）する。

❸表に返して袖つけ（袖下のあいている部分）をコの字まつりする。

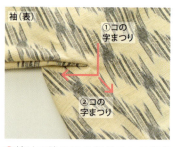

❹続けて脇の下の部分をコの字まつりする。

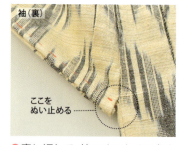

❺裏に返して、袖のぬいしろの角を脇にぬい止める。

ジャケット

5 前端をぬう

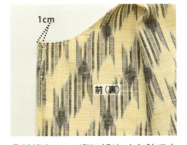

❻ ぬい止めたところ。反対側の角も同様にぬい止める。

❶ 前端を1cm裏に折り、まち針で止める。

❷ 二つ折りにした際を並ぬいする。

6 衿ぐりをぬう

❶ 身頃を外表に合わせる。切り離した袖下の布から、60cm以上になるようにはぎ合わせたバイアス布で、1.8cm幅のバイアステープを作る（p.66〜68参照）。

＊わかりやすいように、異なる色のバイアステープで作っています。

袖下から1.8cm幅のバイアステープ60cmをつないで作る

❷ バイアステープの端を1cm出し、前端から衿ぐりの裁ち端と中表で合わせ、まち針で止める。

❸ バイアステープの折り目の上を並ぬいする。バイアステープのもう片側も1cm出してぬいつけ、余りをカットする。

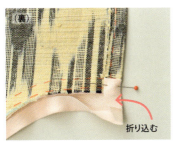

❹ 身頃を裏に返す。バイアステープの端を、折り目を開いて内側に折り込む。

❺ 折り目を戻すように、衿ぐりの裁ち端をバイアステープでくるむ。

❻ ぬい目の内側に合わせて、バイアステープの端をまち針で止める。

7 裾をぬう

❼ たてまつりでバイアステープの際をぬい止める。

表から見ると…

❽ ぬい目が表に出ていない。

❶ 裾を4cm裏に折る。

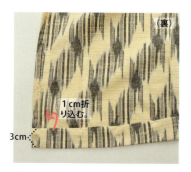

❷ 布端を1cm内側に折り込み、まち針で止める。

❸ 布端の際を並ぬいする。

8 ループを作ってつける

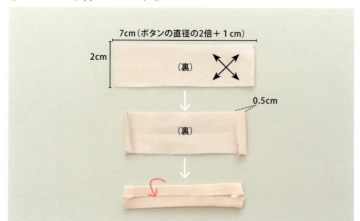

❶ 袖下の余り布を、ボタンの寸法に合わせてバイアスで裁つ。左右を0.5cm裏に折る。両端を中心で突き合わせて折り、さらに半分に折る。
＊わかりやすいように、異なる色で作っています。

❷ 折り重ねた方の布端の際を並ぬいする。

9 ボタンをつける

❸ループひもの端を、前端とバイアステープの端に合わせてまち針で止める。もう片側を1cm、間をあけて前端に止める。

❹表にぬい目が出ないよう、まつりぬいでぬい止める。

❶外表に合わせる。ループを表に出し、前端をそろえる。

❷ループの中心に表から針を通し、ボタンをつける目印をつける。

❸ループを外し、ボタンをつける。

ボタンがついた！

❹ボタンがついたところ。

❺ボタンに、ループがきちんと通るか確認する。

完成！

「おくみ」から作る ティッシュケース

作品: p.83

でき上がりの大きさ(cm) ▷ たて13×よこ18

材料
- きもの地（おくみ）　15×76cm
- シャッペスパン手ぬい糸

裁ち方図

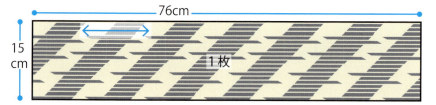

1 折り線を引く

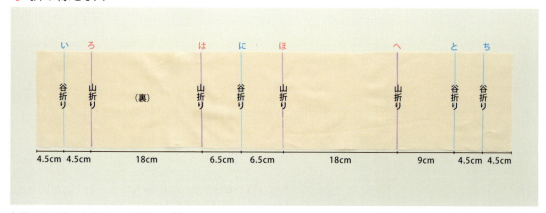

布端から写真のとおりに、山折り・谷折りの印をつける。
このとき、山折りと谷折りでそれぞれ色を変えて引くとわかりやすい。

ティッシュケース

2 印どおりに折りたたむ

❶いの谷折り線で裏に折り、爪アイロンする。
＊作り方は左端から折り始めています。

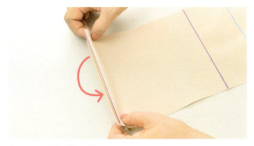

❷ろの山折り線で折る。

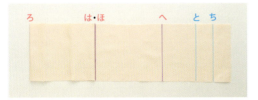

❸はの山折り、にの谷折りを同様に折ったところ。

❹ちの谷折りを折る。

❺との谷折りを折る。

❻への山折りを折る。

❼ほの山折りで折る。

❽折りたたんだところ。

ここをのぞくと…

写真のようになっているか確認する。

Lesson 4 ●小物や洋服を作ってみよう

3 両端をぬう

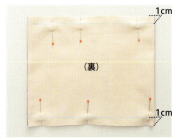

❶まち針で止め、布端に1cmのでき上がり線を引く。

❷でき上がり線の上を返しぐしぬいする。

4 表に返す

❶左端から表に返す。

❷返したところ。

❸★印に指を入れる。

❹かぶせるようにして表に返す。

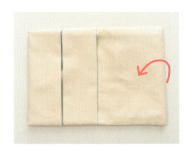

❺ティッシュを入れるところができた。右端を表に返す。

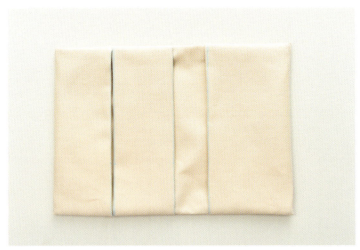

❻全体が表に返ったところ。

ティッシュケース

❼四隅を針で整える。

❽ティッシュを入れる。

完成！

Lesson 4 ● 小物や洋服を作ってみよう

余り布や余り糸を使って…

洋服や小物を作ったお気に入りの布地や糸は、最後まで大切に使ってあげたいもの。
余り布でピンクッションやくるみボタンなど、ちょっとだけ残ってしまった糸を使って布巾などを作ってみましょう。

余り布で…

余り糸で…

きもの地のお手入れ

ほどかないきものリフォームではきものを洗わず、そのままリフォームします。
洋服に作り変えてから、クリーニングに出すとよいでしょう。
小物などを作るとき、きもの地を洗ってからリフォームしたいときは、
おしゃれ着用の中性洗剤で洗います。

準備するもの
- □ きもの地
- □ たらい
- □ 中性洗剤
- □ バスタオル

＊使わない部分で、色落ちや縮みが出ないか確認してから洗いましょう。

❶中性洗剤を水に溶かす。折りたたんだきもの地を入れ、そっと押し洗いする。

❷たたんだまま手のひらで押して絞る。

❸水を替え、きもの地を広げて2〜3回すすぐ。水気を絞るときは、たたんで押し絞る。

軽く!

❹押し絞った後、しわを寄せないように軽く絞る。

❺バスタオルの上に、きもの地を広げてのせる。

❻端からバスタオルを巻いて押さえる。

陰干し後、アイロンで乾かす

❼軽く絞り、きもの地を陰干しする。生乾きになったらアイロン（中温）で布目を整えながら乾かす。

巻末コラム

必須アイテムを手ぬいでチャレンジ！
マスク、エコバッグ

マスクやエコバッグなどのデイリーアイテムこそ、
手ぬいでささっと作りたいもの。
素材や柄違いをそろえて、
その日の気分やスタイルに合わせて選ぶのもステキです。

作り方:p.120-p.123

立体マスク
プリーツマスク

顔にぴったりフィットする立体マスクと、
顔に合わせて調整できるプリーツマスクの2種類をご紹介。
立体マスクは曲線のぬい方、プリーツマスクはひだの折り方がポイントです。

＊本書では、Lサイズ、Mサイズ、Sサイズの3種類を紹介します。

ポケットの左右幅に合わせてたたみ、ポケットに入れ込めば、コンパクトに。持ち運びに便利です。

作り方：p.124

エコバッグ

毎日持ち歩くエコバッグは、
小さく折りたためて軽いものが便利。
ここで紹介するエコバッグは、
表に付いているポケットに収納できるので、
バッグの中にフラットな状態で入れられます。

立体マスク

できあがりの大きさ（cm）
Lサイズ▷約たて14×よこ24cm　Mサイズ▷約たて13×よこ23cm
Sサイズ▷約たて11.5×よこ22cm

作品：p.118

Lサイズ
Mサイズ
Sサイズ

材料

- 表布・裏布（LとSはダブルガーゼ、Mは綿ローン）16×56cm
- ゴム　L→30cm×2本　M→28cm×2本　S→26cm×2本
- ストッパー　2個（なくても作れます）
- シャッペスパン手ぬい糸

裁ち方図

【型紙B面】

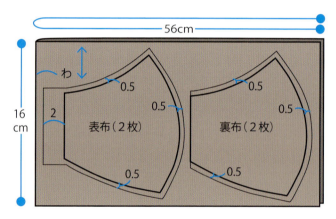

1 印をつけて断つ

裁ち方図どおりに、布地にぬいしろをかいて裁つ。

2 表布、裏布をぬう

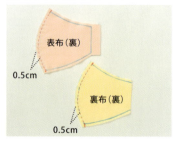

表布を中表に合わせ、曲線部分を並ぬいする。裏布も同様にぬう。

3 表布、裏布を合わせてぬう

❶表布のぬいしろを片側に倒す。裏布のぬいしろも表布と同じ方向に倒す。

3-❶でぬいしろを同じ方向に倒しておくと、ぬいしろは自然と互い違いになる

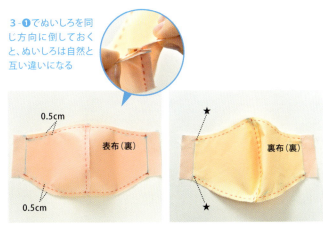

❷ 表布と裏布を中表に合わせ、上下を並ぬいでぬい合わせる（写真右は裏から見た状態）。

❸ ★（左の写真参照）から表に返す。

4 左右の端をぬい、ゴムを結ぶ

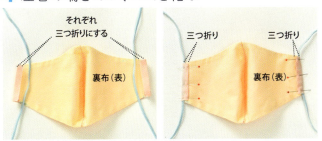

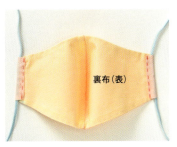

❶ ゴムをおき（写真左）、三つ折りにしてまち針で止め（写真右）、端を並ぬいする。このとき、ゴムをぬい込んでしまわないように気をつける。

❷ 並ぬいした。

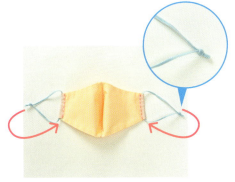

❸ ゴムの両端を結び、結び目を中に入れる。ストッパーを説明書に従ってつける（ストッパーは省略してもOK）。

完成！

ストッパー

プリーツマスク

できあがりの大きさ(cm)
Lサイズ ▷ 約たて9×よこ17cm　Mサイズ ▷ 約たて9×よこ16cm
Sサイズ ▷ 約たて9×よこ15cm

作品：p.118

Lサイズ

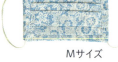
Mサイズ

Sサイズ

材料
- 表布・裏布(Lはリネン、Mは綿ローン、Sはダブルガーゼ)　25×40cm
- ゴム　L→30cm×2本　M→28cm×2本　S→26cm×2本
- シャッペスパン手ぬい糸

裁ち方図
【型紙B面】

（40cm × 25cm　表布(1枚)、裏布(1枚)、ゴム通し布(1枚)×2　裁ち切り）

1 印をつけて断つ

裁ち方図どおりに、布地にぬいしろをかいて裁つ。

2 表布、裏布を合わせてぬう

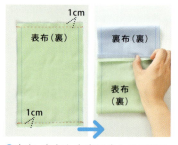

❶表布、裏布を中表に合わせて並ぬいし、ぬいしろを割る。

❷表に返す。

3 プリーツを作る

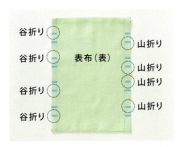

❶実物大型紙を使って、両端に谷折り、山折りの印をつける。

❷印を折り方通りに折り、まち針で止め、並ぬいする。

＜プリーツの折り方＞

```
3cm
------ 谷折り ------
1.5cm
------ 山折り ------
3cm
------ 谷折り ------
1.5cm
------ 山折り ------
3cm
------ 谷折り ------
1.5cm
------ 山折り ------
3cm
------ 谷折り ------
1.5cm
3cm
```

4 ゴムをつける

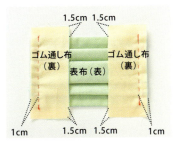

❶表布の左右に、ゴム通し布を上下1.5cm出して（均等に）おき、並ぬいして止める。

❷ゴム通し布を折り返す。

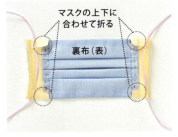

❸裏返して、ゴム通し布の上下のはみ出し部分を折り、ゴムをおく。

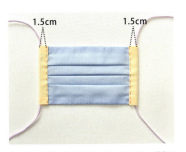

❹ゴム通し布のぬいしろを三つ折りにしてまち針で止め、端を並ぬいする。

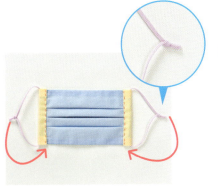

❺ゴムの両端を結び、結び目を中に入れる。

完成！

エコバッグ

できあがりの大きさ（cm/持ち手は除く）▶たて41×よこ45×まち12cm　作品：p.119

材料
- 表布（綿・花柄）110cm幅　75cm
- シャッペスパン手ぬい糸

裁ち方図

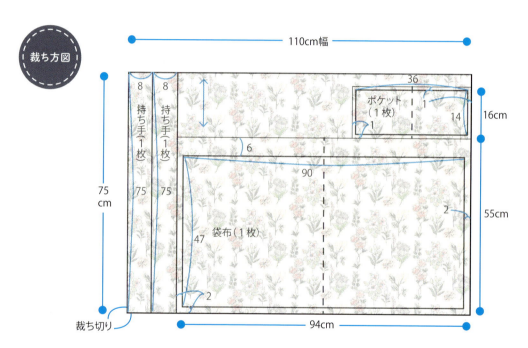

1 印をつけて断つ

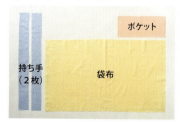

裁ち方図どおりに、布地にぬいしろをかいて裁つ。

2 ポケットを作ってつける

❶ポケット口を折る。

❷中表に折り、ぬいしろを並ぬいする。

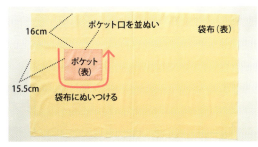

❸ ポケットを表に返してポケット口を並ぬいする。袋布の表に並ぬいでぬいつける。

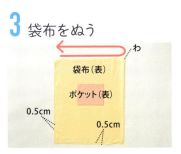

3 袋布をぬう

❶ 布袋を外表に二つに折り、並ぬいする。

❷ まちを爪アイロンで割る。

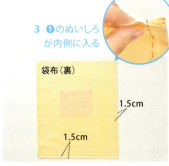

❸ 袋布を裏に返して、際から1.5cmのところを返しぐしぬいをする。

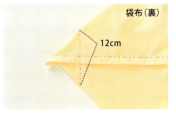

4 まちをぬう

❶ 袋の下側で三角形の形を作ってまちを12cm分とり、返しぐしぬいする。反対側も同様に三角形の形を作って返しぐしぬいする。

❷ 三角形を袋の内側に向かって倒し、先端をぬい止める。反対側も、先端をぬい止める。

❸ まちをぬい止めた。

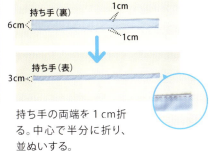

5 持ち手を作る

持ち手の両端を1cm折る。中心で半分に折り、並ぬいする。

6 持ち手をつける

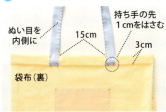

完成！

❶ 袋布の入れ口のぬいしろを三つ折りにし、持ち手の先1cmをはさんでまち針で止める。持ち手の間は15cmに。

❷ 袋布の入れ口の上下を並ぬいして、持ち手をつける。

Index

あ

- 合印 …………………………………… 6
- アイロン ……………………………… 12
- アイロン台 …………………………… 12
- あき止まり ………………………… 6、64
- 足つきボタン …………………… 54、56
- 当て布 ………………………………… 6
- いせ込み …………………………… 6、99
- 糸通し ……………………………… 13、38
- ウエイト ……………………………… 13
- ウエスト ………………………… 22、122
- ウエストゴム（織ゴム）……………… 71
- ウエストベルト ……………………… 97
- 後ろ中心 ……………………………… 6
- 衿ぐり …………………… 99、101、107
- 折り伏せぬい …………………… 6、51

か

- 貝ボタン ……………………………… 54
- 返しぐしぬい ………………… 6、9、43
- 返し針 ……………………………… 6、40
- カギホック …………………………… 62
- 型紙 ………………… 22、24、26、28、32
- 柄の向き ……………………………… 16
- 霧吹き ………………………………… 12
- キルト芯 ……………………………… 58
- ぐしぬい ……………………………… 6
- くるみボタン …………………… 54、57、58
- コットン ……………………………… 14
- コの字まつり ……………………… 6、48
- ゴムテープ …………………………… 71
- ゴム通し ……………………………… 13

さ

- サイズ表 ……………………………… 22
- 採寸 …………………………………… 23
- 裁断 …………………………………… 32
- しつけ ………………………………… 6
- 地直し ……………………………… 6、20
- シャーリング ………………………… 72
- シルク ………………………………… 14
- 印つけ ………………………………… 12
- 裾 ………………………………… 72、101
- 裾上げテープ ……………………… 120
- スナップ ……………………………… 61
- 接着インサイドベルト ……………… 21
- 接着芯 ………………………………… 21
- 接着伸び止めテープ ………………… 21
- 背ぬい（後ろ中心）………………… 103
- 洗濯 ……………………… 20、54、116
- 袖 ………………………… 23、72、101
- 袖下 …………………………… 102、107
- 外表 ………………………………… 6、32
- ソフトゴム（コールゴム）……… 71、72

た

- 裁ちばさみ（はさみ）…………… 12、31
- 裁ち端 ………………………………… 6
- たて地 …………………………… 6、16、25
- たてまつり ………………………… 6、47
- 玉どめ ………………………………… 41
- 玉結び ………………………………… 39
- チャコペン ………………………… 12、34
- 突き合わせ印 ……………………… 6、24
- 爪アイロン ………………………… 6、49
- テープメーカー ………………… 13、66、68
- でき上がり線 ……………………… 6、24、34
- 手ぬい糸 …………………………… 10、18
- 手ぬいステッチ糸 ………………… 10、19
- 手ぬい針 …………………………… 10、18
- 共布 …………………………………… 6

な

- 中表 …………………………………… 6、32
- 並ぬい ………………………………… 6、42、49
- 並ぬいステッチ（ランニングステッチ）………… 6、101
- にぎりばさみ（糸切りばさみ）…………………… 104
- ぬいしろ ……………………………… 6、34
- 布の表裏 ……………………………… 16
- 布の使用量 …………………………… 17
- 布幅 …………………………………… 16、17、103
- 布目（地の目）………………………… 6、16、24、33
- 布目線 ………………………………… 6、24、29、33

は

- バイアス（方向）……………………… 6、16、25
- バイアステープ ……………………… 66、69、70、73
- バイアス布 …………………………… 66
- バスト ………………………………… 22、26
- ハトロン紙 …………………………… 11、29
- 半返しぬい …………………………… 6、44
- ヒップ ………………………………… 22、27
- ひも通し ……………………………… 13、74
- ピンクッション ……………………… 10、115
- ファスナー …………………………… 63、64
- ファスナップ ………………………… 61
- 袋ぬい ………………………………… 6、50
- 方眼定規 ……………………………… 11
- 補正（型紙）…………………………… 26
- ボタン ………………………………… 54
- 本返しぬい …………………………… 6、45

ま

- 前中心 ………………………………… 6
- マグネットホック …………………… 59、60
- 股上 …………………………………… 6、23
- 股下 …………………………………… 6、23
- まち針 ………………………………… 10
- まつりぬい（ななめまつり）………… 6、46
- 身頃 …………………………………… 6、102、105
- 水通し ………………………………… 6、14、20
- 三つ折り ……………………………… 49、72
- 三つ折り仕上げ ……………………… 6、49、72
- 耳 ……………………………………… 6、16、32、103
- メジャー ……………………………… 11

や

- よこ地 ………………………………… 6、16、25

ら

- ランニングステッチ（並ぬいステッチ）…………… 6
- リネン ………………………………… 14、20

わ

- わ ……………………………………… 6、24、32
- 脇線 …………………………………… 6
- 割り伏せぬい ………………………… 6、52

127

高橋恵美子

東京・青山生まれ。文化服装学院ハンディクラフト科卒業後、初めて手作りをする人のためのやさしい手ぬいを提案する手芸家として40年以上にわたり活躍。同時に、手ぬいのための道具や布などの商品の企画開発も手がける。〈日本手ぬい普及協会〉を主宰し、東京、名古屋、大阪で手ぬい教室を開講している。著書は、『かんたん、素敵 手ぬいで着物リメイク』(西東社)『新定番 手ぬいで作って長く着たい大人服』『手ぬいが心地よい パンツで着こなす大人のふだん着』(ともにブティック社) など100冊を超える。

高橋恵美子　手ぬいクラブ

手ぬいの楽しさを伝えています。手ぬいの新刊本、手ぬい教室の案内、オリジナル布エミコ・コレクション販売情報、イベントのお知らせなどの情報発信をしています。
https://www.tenuiclub.com

facebook：@tenuiclub
Twitter：@tenuiclub
Instagram：@tenuiclub

「エミコ・コレクション co.」
オリジナル布や材料キット、用具の通販ショップ
https://www.emico-co.com

本書は2016年2月に小社より出版した『イチバン親切な手ぬいの教科書』の新版です。新たに原稿を加え、再編集しました。

本書の内容に関するお問い合わせは、書名、発行年月日、該当ページを明記の上、書面、FAX、お問い合わせフォームにて、当社編集部宛にお送りください。電話によるお問い合わせはお受けしておりません。また、本書の範囲を超えるご質問等にもお答えできませんので、あらかじめご了承ください。
　　FAX：03-3831-0902
　　お問い合わせフォーム：https://www.shin-sei.co.jp/np/contact-form3.html

落丁・乱丁のあった場合は、送料当社負担でお取替えいたします。当社営業部宛にお送りください。
本書の複写、複製を希望される場合は、そのつど事前に、出版者著作権管理機構（電話：03-5244-5088、FAX：03-5244-5089、e-mail：info@jcopy.or.jp）の許諾を得てください。
　JCOPY <出版者著作権管理機構 委託出版物>
本書の写真、カット、図版等、内容の無断転載を禁じます。
本書に掲載した作品は、個人で楽しんでいただくことを前提に制作しております。掲載作品もしくは類似品の全部または一部を商品化するなどし、販売等することは、その手段・目的に関わらずお断りしております。営利目的以外の販売等や作品展等への出品についても同様です。あらかじめ、ご了承ください。

新版 イチバン親切な 手ぬいの教科書

2020年11月15日　初版発行
2023年 1月25日　第5刷発行

著　者　　高　橋　恵美子
発行者　　富　永　靖　弘
印刷所　　株式会社新藤慶昌堂
発行所　　東京都台東区　株式　新星出版社
　　　　　台東2丁目24　会社
　　　　　〒110-0016　☎03(3831)0743

Ⓒ Emiko Takahashi　　　　　　Printed in Japan

ISBN978-4-405-07315-9